# ESPAÑA, ayer y hoy
## Itinerario de Cultura y Civilización

● **HISTORIA Y ARTE** ● **DEMOGRAFÍA**
● **ECONOMÍA** ● **INSTITUCIONES** ● **TRADICIONES**

Edición actualizada

*SGEL*

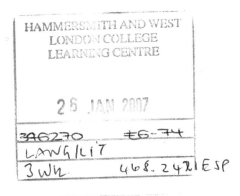
Primera edición, 1995
Quinta edición, 2002 (actualizada)
Sexta edición, 2003
Séptima edición, 2005


© Carmen Mora
© Sociedad General Española de Librería, S.A., 1995
  Avda. Valdelaparra, 29. 28108 Alcobendas (Madrid)


Realización: EDIPROYECTOS
Coordinación editorial: Pilar Rubio
Diseño: Ana Peciña
Fotografías: Archivo CAMBIO 16


ISBN: 84-7143-798-8
Depósito Legal: M-41.182-2005
Impreso en España. Printed in Spain.
Preimpresión: AMORETTI, S.F., S.L.
Impresión: LITOFINTER, S.A.

# Sumario

# 1 El medio geográfico

España, con una superficie de 505.594 km², es uno de los países más grandes de Europa, detrás de Rusia y de Francia. El territorio español ocupa la mayor parte de la Península Ibérica y los archipiélagos de Baleares y Canarias. Está unido al continente europeo por un istmo montañoso de 435 km: los Montes Pirineos. Una gran meseta central (210.000 km²), de notable altitud media (660 m), domina la geografía española. Está aislada del litoral por altas cordilleras, que hacen muy difíciles las comunicaciones entre el interior y la costa.

La variedad climática es muy fuerte. En la meseta, temperaturas extremas y escasas lluvias. En la periferia, clima oceánico (húmedo) al norte y mediterráneo (seco, pero suave) al este y al sur.

Los contrastes geográficos y los acontecimientos de la historia conformaron en el pasado cierta oposición entre la árida España interior y la fértil España periférica. Pero el desarrollo industrial de amplias zonas de la meseta tradicionalmente

**S. M. Juan Carlos I, Rey de España**

agrícolas ha debilitado tal antagonismo. Con una población superior a los 40 millones de habitantes, España se encuentra entre los diez países más industrializados del mundo. La capital es Madrid. La unidad monetaria tradicional, la peseta, ha sido sustituida por

## ● España en cifras

| | | |
|---|---|---|
| Superficie: | **505.954** km² | |
| Población *(padrón municipal de 1/1/2000)*: | **40.499.791** habitantes | |
| Densidad: | **80** habitantes/km² | |
| Capital: | **Madrid** | (2.882.860 habitantes) |
| Lengua: | **español** | |
| Extranjeros residentes *(1/1/2000)*: | **801.329** | |
| Turistas *(2000)*: | **74.437.400** | 1 euro: 166,386 ptas.: |
| Unidad monetaria | **la peseta/el euro** | 0,89 dólares USA (2001) |
| Producto Interior Bruto *(1999)*: | **93.693.000** mill. ptas. | |
| Producto Interior Bruto "per capita" *(1999)*: | **2.313.000** ptas. | |
| Población activa *(1999)*: | **16.603.500** | |
| Parados *(1999)*: | **2.562.000** habitantes | |

**Mapa físico de España**

el euro en enero del 2002.
España es hoy una monarquía constitucional. El Rey Juan Carlos I es el Jefe del Estado. El Gobierno se elige democráticamente. Desde el 1 de enero de 1986, España pertenece a la Comunidad Económica Europea (CEE), actualmente Unión Europea.

**Bandera española**

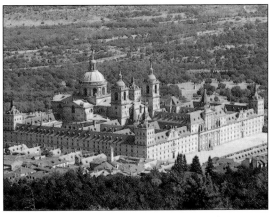

**Monasterio de El Escorial (Madrid), símbolo de la monarquía y panteón real**

# 2 Escenario de pueblos y culturas diversas

Desde la más remota antigüedad, una serie de pueblos de muy diversa procedencia vinieron a instalarse en la Península Ibérica. Cada uno de ellos trajo consigo una cultura, unas tradiciones. Por ello, el proceso hacia la unidad política de lo que hoy denominamos España ha sido lento y difícil. Aunque el español o castellano es la lengua oficial común de España, existen áreas lingüísticas bilingües con idioma autóctono: catalán, gallego y vasco.

De origen desconocido, el vasco es la única lengua entre las hispánicas que no procede del latín; su ámbito territorial se limita al País Vasco y parte de Navarra. El catalán se habla en Cataluña; dos variantes dialectales, el valenciano y el balear, se hablan en la Comunidad Valenciana y en las Baleares.

**Mapa de las Comunidades Autónomas de España**

El gallego es la lengua de Galicia.

Esta variedad lingüística es signo de identidad de pueblos que, integrados en un solo Estado, España, quieren seguir fieles a su origen y a su cultura. En las comunidades bilingües, el idioma autóctono es también oficial y se utiliza en la enseñanza, en la prensa, la radio y la televisión. Por otra parte, cada región —tenga o no lengua propia— conserva una personalidad que se expresa en la fidelidad a sus tradiciones. El folclore, la gastronomía, el deporte, la artesanía, las costumbres en suma, varían tanto de Galicia a Andalucía, de Castilla a Cataluña, del País Vasco a Valencia, como el relieve, el clima o la lengua.

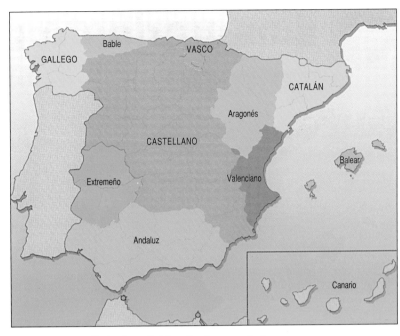

**Las lenguas y dialectos del territorio español**

Tierra de contrastes, España pretende integrar armoniosamente la diversidad heredada del pasado en la necesaria unidad de un país moderno, democrático y plenamente europeo.

**Traje típico balear**

**Folclore andaluz: baile de sevillanas**

# ③ Los productos del campo

Paisaje con olivos en tieras de Toledo

La vendimia

País tradicionalmente agrícola, España aprovecha un 50 % de su superficie como tierra de cultivo, prados y pastos; un 30 % está

Plátanos

cubierto de bosque; el resto es improductivo. A pesar de la extensa superficie cultivada, la agricultura española es difícil y poco competitiva. Las razones son muchas: la aridez del suelo, el clima extremado, el predominio de las pequeñas explotaciones y el exceso de mano de obra: el 8 % de la población activa española trabaja en la agricultura.
Los productos que más superficie de cultivo ocupan son los cereales y las plantas alimentarias (patatas, leguminosas, remolacha azucarera). Pero los más rentables son las hortalizas, flores y frutas, principalmente naranjas y limones. Las principales zonas productoras de frutos agrios son el Levante (Valencia y Murcia) y Andalucía. Los cultivos de flores están localizados en Cataluña y Andalucía (Almería). España ha sido tradicionalmente uno de los principales productores de aceite de oliva y de aceitunas. Extensos campos de olivos dan un carácter inconfundible al paisaje andaluz. La recogida y elaboración de la aceituna, en sus múltiples y sabrosas variedades, son actividades destacadas en ciertas provincias de Andalucía y La Mancha. Otra producción notable, por su calidad y cantidad, es el vino. En casi todas las regiones españolas se cultiva la vid y se obtienen famosos «caldos» (vinos). Destacan los «finos»

andaluces (Jerez, Montilla), los cavas y espumosos de la comarca catalana del Penedés, los vinos de mesa de la Rioja, de la Ribera del Duero, de La Mancha (Valdepeñas), el ribeiro de Galicia y otros muchos.

La producción de vino y uva de mesa en España alcanza la tercera posición en el ranking mundial (detrás de Francia e Italia) por el volumen de producción y compite en calidad y precio con las mejores marcas.

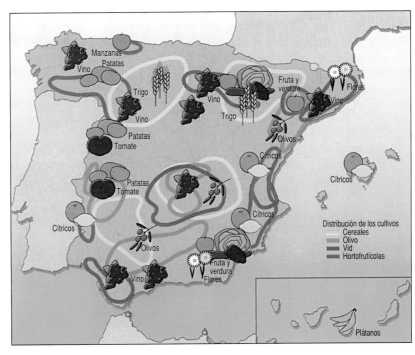

**Mapa de producción agrícola en España**

## ● Superficies y producciones agrícolas

| Cultivos | Superficies (miles Ha) | | | Producciones (miles T) | | |
|---|---|---|---|---|---|---|
| | 1998 | 1999 | 2000 | 1998 | 1999 | 2000 |
| ■ **CEREALES** | | | | | | |
| Trigo | 1.874,9 | 2.423,5 | 2.377,8 | 5.347,0 | 5.012,7 | 7.318,8 |
| Cebada | 3.525,7 | 3.111,9 | 3.307,5 | 10.901,5 | 7.398,9 | 11.415,7 |
| Avena | 397,7 | 407,8 | 430,1 | 698,3 | 529,1 | 954,5 |
| Centeno | 119,5 | 121,2 | 116,2 | 207,4 | 218,9 | 214,1 |
| Triticale | 29,0 | 24,6 | 32,5 | 60,8 | 25,1 | 75,9 |
| Cereales ot.-inv. | 5.946,8 | 6.088,8 | 6.264,1 | 17.215,0 | 13.184,7 | 19.979,0 |
| Maíz | 455,4 | 396,1 | 424,6 | 4.264,7 | 3.746,2 | 3.989,7 |
| Sorgo | 12,9 | 9,8 | 9,1 | 74,1 | 49,5 | 46,3 |
| Arroz | 113,2 | 110,5 | 113,2 | 804,3 | 801,5 | 750,6 |
| ■ **LEGUMINOSAS GRANO** | | | | | | |
| Judías secas | 22,4 | 20,2 | 19,1 | 22,1 | 23,9 | 22,8 |
| Habas secas | 8,9 | 11,7 | 12,9 | 9,3 | 8,6 | 14,0 |
| Lentejas | 27,4 | 21,0 | 24,7 | 16,2 | 8,9 | 23,1 |
| Garbanzos | 115,0 | 82,2 | 77,1 | 65,9 | 30,2 | 45,9 |
| Guisantes secos | 56,5 | 42,5 | 42,5 | 73,3 | 47,8 | 57,1 |
| Veza | 200,5 | 192,9 | 163,3 | 126,8 | 93,4 | 130,3 |
| Altramuz dulce | 13,7 | 14,0 | 14,9 | 10,5 | 8,9 | 12,7 |
| Yeros | 88,0 | 119,4 | 108,5 | 58,7 | 35,9 | 83,0 |
| ■ **TUBÉRCULOS** | | | | | | |
| Patata | 141,7 | 136,7 | 122,8 | 3.246,8 | 3.342,8 | 3.098,5 |
| ■ **CULTIVOS INDUSTRIALES** | | | | | | |
| Remolacha azucarera | 151,7 | 137,5 | 136,7 | 9.021,2 | 7.785,1 | 8.704,0 |
| Algodón bruto | 97,6 | 109,0 | 88,7 | 323,8 | 403,9 | 322,0 |
| Girasol | 1.030,5 | 873,7 | 863,4 | 1.069,9 | 568,7 | 923,8 |
| Soja | 5,5 | 4,2 | 2,7 | 12,4 | 9,2 | 5,7 |
| Colza | 46,1 | 48,3 | — | 73,0 | 64,3 | — |
| ■ **CULTIVOS FORRAJEROS** | | | | | | |
| Maíz forrajero | 93,9 | 83,8 | 88,6 | 4.659,6 | 3.789,6 | 4.315,7 |
| Alfalfa | 237,0 | 238,0 | 244,7 | 13.447,3 | 12.372,0 | 12.597,0 |
| Veza para forraje | 75,4 | 74,5 | 58,1 | 1.059,6 | 939,0 | 957,0 |
| ■ **HORTALIZAS** | | | | | | |
| Col repollo | 11,9 | — | 11,3 | 332,8 | — | 320,0 |
| Espárrago | 16,8 | 15,6 | 14,9 | 62,8 | 59,0 | 60,6 |

| Cultivos | Superficies (miles Ha) | | | Producciones (miles T) | | |
|---|---|---|---|---|---|---|
| | 1998 | 1999 | 2000 | 1998 | 1999 | 2000 |
| Lechuga | 37,3 | — | 37,0 | 1.041,8 | — | 1.006,0 |
| Sandía | 21,6 | 18,7 | 18,5 | 815,9 | 711,2 | 726,7 |
| Melón | 43,1 | 44,3 | 44,3 | 993,1 | 1.198,2 | 1.033,3 |
| Tomate | 60,6 | 60,4 | 62,6 | 3.560,4 | 3.580,9 | 3.800,0 |
| Pimiento | 22,6 | 22,7 | 23,0 | 882,8 | 908,4 | 936,3 |
| Fresa y fresón | 8,3 | 9,7 | 10,7 | 317,3 | 369,7 | 374,4 |
| Alcachofa | 19,7 | 18,0 | 19,9 | 283,7 | 254,3 | 284,6 |
| Coliflor | 17,4 | 19,3 | 21,0 | 353,0 | 367,9 | 374,4 |
| Ajo | 24,4 | 25,8 | 24,1 | 160,0 | 186,8 | 187,0 |
| Cebolla | 24,4 | 23,8 | 22,7 | 981,2 | 999,2 | 1.000,0 |
| Judías verdes | 22,1 | 20,8 | 21,3 | 261,3 | 261,1 | 295,5 |
| Guisantes verdes | 10,4 | 9,0 | 8,5 | 63,2 | 54,1 | 54,2 |
| Habas verdes | 7,9 | 8,0 | 7,4 | 69,5 | 68,0 | 61,8 |
| ■ **CÍTRICOS** | | | | | | |
| Naranja | 133,0 | — | — | 2.442,8 | 2.636,8 | 272,12 |
| Mandarina | 101,3 | — | — | 1.762,3 | 1.962,7 | 1.822,3 |
| Limón | 43,5 | — | — | 905,0 | 871,2 | 938,5 |
| ■ **FRUTALES** | | | | | | |
| Manzana | 49,7 | — | — | 719,0 | 797,1 | 675,2 |
| Pera | 41,0 | — | — | 599,8 | 630,1 | 657,6 |
| Albaricoque | 24,5 | — | — | 149,8 | 146,7 | 147,2 |
| Cereza | — | — | — | 54,4 | 92,3 | 113,0 |
| Melocotón | 69,0 | — | — | 896,8 | 907,1 | 1.096,1 |
| Ciruela | — | — | — | 136,1 | 151,0 | 146,3 |
| Plátano | 8,5 | — | — | 385,2 | 438,2 | 420,2 |
| Almendra | 664,3 | — | — | 202,6 | 262,0 | 244,7 |
| Avellana | 28,2 | — | — | 16,2 | 27,9 | 17,4 |
| ■ **VIÑEDO** | | | | | | |
| Uva de mesa | 32,9 | — | — | 350,5 | 370,1 | 379,0 |
| Uva de transform. | 1.128,6 | — | — | 4.733,5 | 4.497,6 | 5.267,4 |
| Vino y mosto (000HI) | — | — | — | 3.712,2 | 32.542,8 | 39.103,0 |
| ■ **OLIVAR** | | | | | | |
| Aceituna de mesa | 124,1 | — | — | 238,4 | 313,7 | 342,1 |
| Aceit. almazara | 2.156,0 | — | — | 3.593,3 | 2.672,2 | 3.840,8 |
| Aceite | — | — | — | 744,8 | 545,9 | 787,8 |

# 4 Ganadería, caza y pesca

**Las ovejas han sido durante siglos una inestimable fuente de recursos**

Estas actividades productivas tuvieron en el pasado un peso fundamental en la economía española.

Durante muchos siglos, la exportación de lana, principalmente de las famosas ovejas merinas, fue una inestimable fuente de recursos.

Hoy día, la producción ganadera no es la base de la economía, pero tiene una importancia considerable: en 1999, 6,2 millones de bovinos, 22,5 de porcinos, 24 de ovinos y 55 de aves. Sobre esta producción, se desarrolla una rica industria alimentaria y gastronómica, con productos tan apreciados y característicos como el chorizo, el jamón serrano y los asados (cochinillo y cordero).

La caza de animales no domésticos es también una actividad económico-deportiva de gran arraigo en España. La caza mayor (ciervo, jabalí), todavía abundante en zonas

**La caza menor se practica masivamente**

**Muchos españoles viven del mar**

**Paisaje de montaña con ganado vacuno**

boscosas, atrae aficionados de toda Europa. La caza menor (conejo, perdiz, paloma) es practicada masivamente.

Aunque la pesca tiene cada vez menos importancia económica por la escasez de buenos bancos, muchos españoles viven todavía de los productos del mar. Anualmente, se desembarcan en España un millón y medio de toneladas de pescado. La costa atlántica es la más rica zona en pesca y en ella se encuentran los principales puertos pesqueros:

La Coruña, Vigo, Pasajes (San Sebastián), Algeciras, Málaga y Las Palmas (Canarias). Las especies más apreciadas son la merluza, el atún, las sardinas, las anchoas, los mariscos y los crustáceos.

Los españoles son grandes consumidores de productos del mar, que tienen un peso fundamental en la dieta y en la gastronomía. La variedad y calidad de platos es incomparable (véase el capítulo de Gastronomía, pág. 64).

**Puerto pesquero vasco**

# ⑤ Industria y energía

**Paneles de energía solar**

España es un país energéticamente dependiente, pues tiene que importar la mayor parte de la energía que consume (petróleo, gas y también carbón).
La producción de la electricidad se obtiene de centrales térmicas (57 %), nucleares (28 %), o hidroeléctricas (15 %).
La producción de origen nuclear está estancada por decisión del Gobierno (moratoria nuclear). La hidroeléctrica se amplía cada año mediante la construcción de nuevos embalses, pero está muy condicionada por la escasa pluviosidad de la Península. Las centrales térmicas se preparan para diversificar su dependencia entre el carbón, el petróleo y el gas natural.
A pesar de la escasez de recursos

**Fábrica de Seat en Barcelona**

12

## ● Índice de producción industrial por sectores

| | |
|---|---|
| 1. Energía | 13% |
| 2. Minerales no energéticos | 11% |
| 3. Industria química | 10% |
| 4. Metalurgia | 26% |
| 5. Industria alimentaria | 20% |
| 6. Industria textil, cuero y calzado | 6% |
| 7. Papel y edición | 6% |
| 8. Caucho y plástico | 4% |
| 9. Madera y corcho | 2% |
| 10. Varios | 2% |

**Central eléctrica en las proximidades de una ciudad española**

energéticos propios, España es hoy día un país industrializado. Más del 60 por ciento de sus exportaciones lo constituyen productos manufacturados. Destacan entre ellos los vehículos automóviles y tractores, maquinaria, manufacturas de hierro y acero, calzados, combustibles y aceites, productos textiles, piel y cuero.

La industria pesada ha estado concentrada tradicionalmente en el norte del país, donde se encontraban las reservas mineras de hierro y carbón. Los Altos Hornos más importantes y fábricas de fundición se encuentran en Asturias, Santander y Bilbao.

Pero la actividad industrial se ha diversificado y extendido por otras zonas. La industria química se ha desarrollado principalmente en Barcelona y alrededores. Las manufacturas textiles, también en Cataluña, se agrupan en torno a Sabadell, Tarrasa y Mataró.

La industria automovilística y de vehículos industriales, que por lo general explota licencias extranjeras, está localizada en Madrid (Peugeot-Talbot), Barcelona (Wolkswagen-Seat), Valladolid-Palencia (Renault), Zaragoza (General Motors), Valencia (Ford), etc. La industria naval, en grave crisis, tiene sus principales astilleros en El Ferrol, Cartagena, Cádiz y Bilbao.

Las refinerías de petróleo, con una importante producción de derivados que en parte son exportados, se encuentran en Tarragona, Castellón, Cartagena, Puertollano, Algeciras, Huelva, La Coruña y Bilbao.

Otras industrias menores dignas de mención son: calzado, cueros y pieles (Levante), vidrio, cemento, cerámica (Talavera, Manises), conservas y otros productos de alimentación.

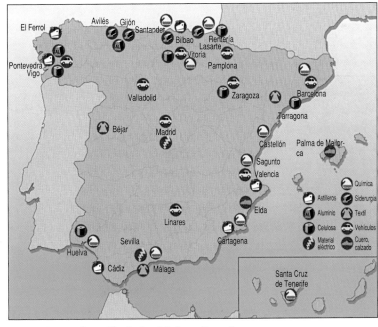

**Mapa de producción industrial en España**

# 6 Turismo

Lloret de Mar (Costa Brava)

Iglesia frente al mar en la isla de Ibiza

Playa de las Teresitas (Canarias)

A partir de 1960, España se ha convertido en un gran foco de atracción para el turismo internacional y, sobre todo, para el europeo. Los visitantes extranjeros —más de 70 millones al año— llegan masivamente por todos los medios de transporte: carretera, ferrocarril, avión... En los meses de verano se puede afirmar que hay en España más turistas que habitantes nativos. La actividad turística ha sido uno de los principales motores del desarrollo económico del país. Los ingresos en divisas (5 billones de pesetas en 1999) han aportado una

Windsurf sobre el azul del mar

contribución fundamental a la balanza de pagos. Pero, además, el turismo mantiene en actividad un poderoso sector de hostelería, uno de los más fuertes del mundo.

Las causas de la atracción turística de España, que ya no es un fenómeno coyuntural, pues se mantiene desde hace treinta años, son fundamentalmente tres: las características geográficas (sol, playa, islas), las condiciones económicas (vacaciones a bajo precio) y la personalidad de los españoles (carácter alegre y amable). Los factores naturales siguen siendo

## ● Visitantes llegados a España. Entrada de turistas por meses en 1999-2000

(Millones de turistas)

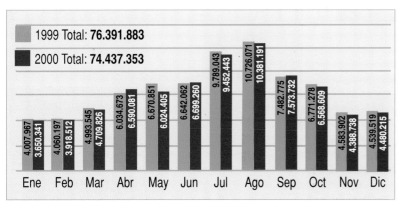

1999 Total: **76.391.883**

2000 Total: **74.437.353**

|  | Ene | Feb | Mar | Abr | May | Jun | Jul | Ago | Sep | Oct | Nov | Dic |
|---|---|---|---|---|---|---|---|---|---|---|---|---|
| 1999 | 4.007.967 | 4.060.197 | 4.993.545 | 6.034.673 | 6.670.851 | 6.642.062 | 9.789.043 | 10.726.071 | 7.482.775 | 6.771.278 | 4.583.902 | 4.539.519 |
| 2000 | 3.650.341 | 3.918.512 | 4.709.826 | 6.590.081 | 6.024.405 | 6.699.260 | 9.452.443 | 10.381.191 | 7.573.732 | 6.568.609 | 4.388.738 | 4.480.215 |

Fuente: Instituto de Estudios Turísticos.

positivos para los visitantes, pero desgraciadamente los precios no ofrecen ya una ventaja significativa con respecto a los países de origen (Gran Bretaña, Francia, Alemania). Por esta razón, la competencia de otros países de inferior nivel económico es mayor cada año.

El turismo se ha convertido así en un tema de reflexión. Es una cuestión de interés nacional para el futuro.

Por un lado, se intenta preservar el turismo de masas hacia las playas. España ofrece aún en este campo, una variedad climática y paisajística difícilmente superable: islas tropicales (Canarias), islas mediterráneas (Baleares), playas de acantilado (Costa Brava), playas anchas y arenosas (Costa del Sol, Costa Blanca), rías gallegas, playas de oleaje (Cantábrico)...

Ciertos errores del pasado se están corrigiendo: construcciones abusivas, contaminación de las aguas, servicios deficientes.

Por otro lado, se intenta diversificar el turismo abriendo rutas distintas de las grandes concentraciones humanas de las costas de moda. Este turismo interior tiene como principal polo de atracción la gran riqueza y variedad del patrimonio histórico-artístico, la belleza de las fiestas populares y del folclore autóctono, y la fascinación de las celebraciones deportivas, cinegéticas y taurinas.

Esta reconversión del turismo extranjero es necesaria también por otra razón: el número de españoles que viaja al exterior es cada año más grande, con la consecuente pérdida de divisas. España necesita por ello consolidar este sector básico de su economía.

**Típica construcción menorquina**

**Las transparantes aguas del Mediterráneo**

# Vacaciones de sol y playa (1)

## El litoral peninsular

La Península Ibérica está bañada por tres mares: el Atlántico, el Cantábrico y el Mediterráneo. Su extenso litoral refleja la enorme variedad de su geografía.

● **Costa Brava**

Desde la frontera francesa hasta Blanes. Costa de acantilados, con algunas pequeñas y bellísimas calas y otras playas más extensas. Destacan: Rosas, San Pedro Pescador, Ampurias, La Escala, Estartit, Bagur, Palafrugell, Palamós, Playa de Aro, S'Agaró, San Feliú de Guixols, Tossa, Lloret y Blanes.

● **Costa del Maresme**

Desde Blanes hasta Barcelona. Destacan las playas de Calella y Arenys de Mar, con mucho desnivel.

● **Costa de Garraf**

Desde Castelldefels hasta Sitges. Playas llanas, de arena fina, amplias y largas: en Castelldefels y Sitges.

**Bañistas en la magnífica playa de La Concha (San Sebastián).**
**Abajo: barcas en la playa de Palamós (Gerona)**

● **Costa Dorada**

Desde Sitges hasta la desembocadura del Ebro. Largas playas llanas, de arena dorada, muy fina. Destacan: Calafell, Comarruga, Torredembarra, Tarragona, Salou, Cambrils, Hospital del Infante, San Carlos de la Rápita.

**Benidorm (Alicante): meta del turismo internacional**

**Disfrutando en las aguas del Mediterráneo**

● **Costa del Sol**

Desde el Cabo de Gata hasta Tarifa. Playa no muy ancha, de arena o guijarros, pero de un clima cálido excepcional que permite bañarse de abril a octubre. Es la costa de mayor densidad turística. Destacan: Roquetas, Motril, Almuñécar, Nerja, Málaga, Torremolinos, Benalmádena, Fuengirola, Marbella, San Pedro de Alcántara, Estepona, Algeciras.

● **Costa de La Luz**

Desde Tarifa hasta la frontera portuguesa. Clima más suave. Largas playas de arena fina y dunas. Destacan: Cádiz, Chipiona, Sanlúcar, Matalascañas, Punta Umbría, Isla Cristina.

● **Costa del Atlántico**

Desde la frontera portuguesa hasta la francesa se extiende un largo litoral, de clima más suave y lluvioso que el del Mediterráneo, y bordeado de acantilados y profundos estuarios. Verdes paisajes y abundancia de productos del mar. Destacan las rías gallegas (Bajas y Altas), la Costa Verde asturiana, las extraordinarias playas santanderinas (Laredo, Santoña, Isla) y la famosa Costa Vasca (Fuenterrabía, Zarauz, San Sebastián).

● **Costa del Azahar**

Desde el estuario del Ebro hasta la provincia de Alicante. Amplias playas llanas. Destacan: Vinaroz, Benicarló, Peñíscola, Oropesa, Benicasim, Cullera, Gandía.

● **Costa Blanca**

Desde la Punta de la Almadraba hasta el Cabo de Gata. Clima muy suave en invierno. Playas estrechas, por lo general. Destacan: Denia, Jávea, Calpe, Benidorm, Villajoyosa, Alicante, Santa Pola, Guardamar, Torrevieja, Campoamor, Santiago de la Ribera, La Manga del Mar Menor, Mazarrón, Águilas, Mojácar.

**El sol de España es apreciado por los turistas**

# ⑧ Vacaciones de sol y playa (2)

## Las islas Baleares

El archipiélago de las islas Baleares está situado en el Mediterráneo occidental, frente a la costa de Valencia. Sus islas principales son: Mallorca, Menorca, Ibiza y Formentera, todas ellas de gran interés turístico, principalmente por su clima suave y la belleza y amplitud de sus playas.

● **Mallorca**, la más grande y poblada de las Baleares, tiene, a lo largo de sus 300 km de litoral, un conjunto extraordinario de playas, puertos, bahías y pequeñas calas. Además, la isla cuenta con una hermosa y poblada ciudad, Palma de Mallorca (333.925 h.), capital de todo el archipiélago, y con interesantes lugares para visitar (Cartuja de Valldemosa, Cabo Formentor, Cuevas de Artá y del Drach). Mallorca es en la actualidad el principal punto de atracción turística de España. El aeropuerto de Palma de Mallorca recibe anualmente más de cuatro millones de visitantes extranjeros.

● **Menorca**, es la segunda isla del archipiélago, por su extensión, pero el turismo internacional suele preferir la tercera, Ibiza. No obstante, la belleza de las playas, bahías y calas menorquinas atrae cada vez más visitantes, que encuentran allí, además de un clima agradable y un litoral espléndido, sitios más apacibles y tranquilos que en las otras islas.

● **Ibiza** sigue siendo uno de los paraísos del turismo, en cuyas estrechas playas y recónditas calas se dan cita artistas, escritores y jóvenes de todo el mundo.

● **Formentera** es una isla pequeña, pero de amplias playas, cada vez más visitadas.

**Patio típico de las islas Canarias**

## Las islas Canarias

El archipiélago de las islas Canarias, situado en el Atlántico, frente a las costas occidentales de África, forma un conjunto de siete islas grandes y algunas más pequeñas. Un clima subtropical muy agradable, de «eterna primavera», y sus atractivos naturales han creado una floreciente industria turística. El número de visitantes extranjeros al archipiélago supera los cinco millones por año y crece incesantemente en todas las islas, y particularmente en Tenerife y Gran Canaria.

● **Tenerife**, la mayor extensión de las Canarias (2.053 km$^2$), posee una gran variedad paisajística: el Teide, antiguo volcán apagado, es el pico más alto (3.718 m) de toda España; la meseta de las Cañadas, viejo cráter; el fértil valle de La Orotava y las playas de Los Cristianos, Las Américas, Costa del Silencio y Las Teresitas.

**Paisaje ibicenco**

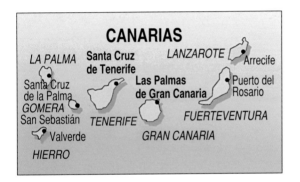

● **Fuerteventura**, la segunda isla en tamaño (1.722 km²), es también la que tiene una costa más extensa y más amplias playas, en su mayoría solitarias y en estado natural.

● **Gran Canaria**, la tercera en extensión, tiene la ciudad de Las Palmas (358.518 h.) por capital como núcleo urbano más importante del archipiélago y sede del Gobierno de la Comunidad Autónoma Canaria. La zona de mejores playas de arena dorada y dunas se halla en la costa sur: San Agustín, Playa del Inglés, Maspalomas.

● **Lanzarote**, la más oriental de las Canarias, se caracteriza por un paisaje volcánico de aspecto lunar. En el parque de Timanfaya, al noroeste, se puede visitar a lomos de camello la Ruta de los Volcanes (más de 300), algunos todavía calientes. Hay también hermosas playas.

● **La Palma**, isla cubierta de grandes bosques y verde vegetación, tiene en el centro la Caldera de Taburiente, uno de los más grandes cráteres volcánicos del mundo (28 km de circunferencia).

● **Gomera** es una pequeña isla montañosa y de abundante vegetación. También cuenta con buenas playas de blanca arena.

● **Hierro** es la más occidental de las Canarias. Tiene unos 1.500 conos de cenizas volcánicas y pequeñas bahías de arena muy poco accesibles.

# ⑨ La España interior

Desde una perspectiva cultural y también paisajística, la España del interior es tan variada como la periférica, pero además es mucho más rica en patrimonio artístico-histórico. La enumeración de los más importantes itinerarios ocuparía muchas páginas. Sólo podemos, pues, ofrecer algunas sugerencias no excluyentes.

● **Madrid y alrededores:** Madrid, El Escorial, Toledo, Cuenca, Segovia, Aranjuez, La Granja de San Ildefonso...
*La España de los Austrias y del neoclasicismo borbónico.*

● **Cataluña profunda:** Barcelona, Tarragona, Ampurias, Ripoll, Tahull, Poblet, Montserrat, San Juan de las Abadesas...
*Desde la colonización grecorromana hasta el modernismo.*

**Palacio Real de Madrid**

**Covarrubias (Burgos). La cuna de Castilla**

**Alcázar de Segovia**

**Las casas colgadas de Cuenca**

● **Castilla-León:** Burgos, León, Salamanca, Ávila; el Camino de Santiago: Frómista, Sahagún, San Marcos de León...
*La cuna de guerreros, místicos y peregrinos.*

● **Galicia mágica:** Santiago de Compostela, Los pazos, los monasterios de Sobrado y Samos...
*La España húmeda y mágica.*

● **Asturias, Cantabria y País Vasco:** Covadonga, Oviedo, Altamira, Santillana del Mar...

*La gran montaña abierta al Cantábrico: valles, minas, puertos naturales.*

● **El macizo Ibérico** (Soria, Aragón y el Maestrazgo): Numancia, Zaragoza, Albarracín, Alcañiz, Teruel, Morella...
*La fortaleza natural de la España resistente.*

● **Andalucía interior:** Córdoba, Medina Azahara, Granada, Sevilla, Itálica, Ronda.
*Las maravillas de la antigua Bética romana y el esplendor árabe de Al Andalus.*

● **La frontera portuguesa:** Mérida, Trujillo, Guadalupe, Cáceres, Alcántara, Ciudad Rodrigo...
*Tierra de paso, cuna de conquistadores.*

● **Navarra y el valle del Ebro:** Roncesvalles, Irache, Leyre, Pamplona, Tudela, Nájera, San Millán...
*Puerta de Europa, inicio del Camino de Santiago y del arte románico en España.*

**Castillos de España. Foto superior: vista panorámica desde Loarre; abajo, Peñafiel**

**Casa de Juntas de Guernica (Vizcaya)**

# 10 En busca de la historia y el arte (1)

## Prehistoria

España estuvo habitada desde los más remotos tiempos. De la Prehistoria, además de restos fósiles antiquísimos (el *Hombre antecesor,* 800.000 años, en Atapuerca), quedan vestigios extraordinarios de pintura rupestre (Altamira, Cogull, etc.), de monumentos megalíticos (sepulcros) y de cerámica campaniforme.

En época histórica, los iberos ocuparon la Península desde el Mediterráneo. A partir de ellos se difundió el nombre de Península Ibérica. Desde el 1000 a.C., los celtas dominadores de la cultura del hierro, penetraron por el norte. El contacto entre iberos y celtas dio origen a un pueblo mixto, los celtíberos, que ocuparon sobre todo la meseta norte hasta la conquista de los romanos. De esta época se conservan notables esculturas, como la Dama de Elche y la Dama de Baza (s. III-IV a.C.) y grandes figuras de cuadrúpedos, como los Toros de Guisando. Hay también numerosos restos de murallas, poblados (*castros*), cerámica y objetos de metal.

**Ruinas romanas de Baelo Claudio (Tarifa)**

## España romana

En el 218 a.C., Roma inició la conquista de España (*Hispania* en latín). Aunque la resistencia fue larga y feroz (dos siglos), Hispania quedó plenamente incorporada al Imperio Romano.

El latín se impuso como lengua común. Los hispanos adquirieron conciencia de su propia personalidad colectiva como pueblo. Los arquitectos romanos levantaron en España templos, circos, teatros, termas,

**Patio de los Leones (Alhambra de Granada)**

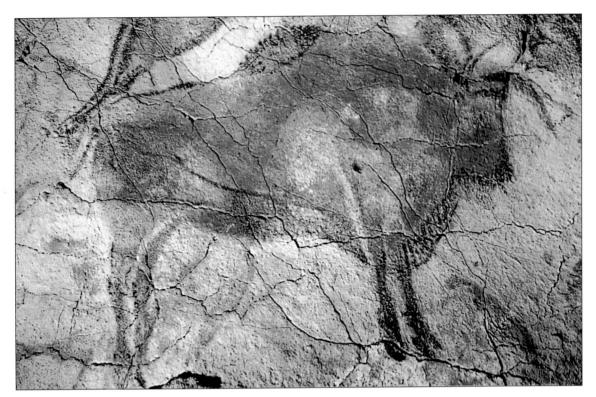

**Pintura rupestre de las cuevas de Altamira**

arcos, puentes y acueductos, de los cuales buen número aún subsiste: acueducto de Segovia, teatro de Mérica, puente de Alcántara, arco de Bará...

## El reino visigodo

A la caída del Imperio, España fue invadida por sucesivas oleadas de pueblos germánicos, hasta que uno de ellos, el visigodo, impuso su dominio. El reino visigodo, con capital en Toledo, asimiló la cultura hispanorromana, y mantuvo casi tres siglos la unidad política. Florecieron la cultura, el arte y la orfebrería. Los restos artísticos más notables son varias iglesias del siglo VII: San Juan de Baños (Palencia), Santa Comba de Bande (Orense), San Pedro de la Nave (Zamora), Quintanilla de las Viñas (Burgos).

## España árabe

En el 711, una invasión árabe procedente de África destruyó el reino

**Detalle de unos arcos en Medina Azahara (Córdoba)**

visigodo y conquistó toda la Península. La España musulmana, que se denominó Al Andalus, fue inicialmente dependiente de los Califas de Oriente, pero en seguida se independizó y creó su propio califato, el de Córdoba, que llegó a ser una de las mayores potencias económicas, militares, culturales y artísticas de su tiempo. La huella árabe en España es muy profunda, sobre todo en la mitad meridional. Monumentos destacados del arte de Al Andalus son la Mezquita de Córdoba, la Alhambra de Granada y la Giralda de Sevilla. A pesar del poderío militar de Al Andalus, en las montañas de Asturias y Cantabria se formaron núcleos de resistencia cristiana contra el Islam. Con una tenacidad secular (ocho siglos), los pequeños reinos del norte llevaron a cabo la *Reconquista* o recuperación de todo el territorio peninsular, que culminó con la conquista de Granada en 1492.

# 11 En busca de la historia y el arte (2)

## La Reconquista

La Edad Media española coincide esencialmente con el período conocido como Reconquista (730-1492). Durante este tiempo, cada región y cada pueblo adquieren su personalidad, su propia cultura y a veces su lengua. Al final del proceso, el reino de Castilla dominaba hegemónicamente en todo el norte, centro, occidente (menos Portugal) y Andalucía. El reino de Aragón y Cataluña dominaba el resto. Por la boda de Isabel, reina de Castilla y Fernando, rey de Aragón, se consiguió la unidad bajo una sola corona en 1479 y comenzó propiamente la historia de España como estado moderno.

## El arte mudéjar

Los musulmanes que permanecieron en los territorios reconquistados por los cristianos recibieron el nombre de mudéjares. Su influencia dejó huella profunda tanto en el arte popular (música, cerámica, tejidos y pieles), como en la arquitectura. El estilo mudéjar se caracteriza por la incorporación de ornamentación árabe, sobre todo el ladrillo y la cerámica vidriada, a las estructuras románicas o góticas. Los monumentos más destacados son las tres torres de Teruel (San Martín, El Salvador, la catedral) y en Toledo, las sinagogas del Tránsito y de Santa María la Blanca.

## El camino de Santiago

La larga lucha contra los moros no significó una parálisis cultural. Las corrientes espirituales y artísticas del continente europeo se desarrollaron con brillantez y originalidad. El gran movimiento de peregrinos a Santiago de Compostela

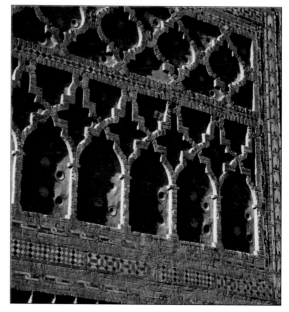

Muro mudéjar. La Seo (Zaragoza)

Iglesia de San Vicente (Ávila)

24

**Claustro románico de Santo Domingo de Silos (Burgos)**

y la penetración de las órdenes monacales
(benedictinos, cluniacenses y cistercienses)
favorecieron la influencia europea.
El arte románico, importado por Cluny, se
difundió profusamente por toda la mitad
norte peninsular. El Camino de Santiago,
ruta de los peregrinos, está flanqueado de
hermosas iglesias, monasterios y hospederías:
Leyre (Navarra), Silos (Burgos), Frómista
(Palencia), San Isidoro (León), Santiago
de Compostela (la catedral, con su «Pórtico
de la Gloria»). También en Cataluña se
construyeron bellos monasterios románicos
de influencia cluniacense (Ripoll).

## Las grandes catedrales góticas

El románico fue sustituido, a partir del siglo
XIII, por el gótico, cons sus arcos apuntados,
grandes vidrieras, esbeltas columnas,
altísimas bóvedas y espectaculares flechas y
torres. El nuevo estilo fue también importado
de Francia por los monjes cistercienses.
Las catedrales de Burgos, Toledo y León, de
mediados del siglo XIII, muestran
la asimilación perfecta del nuevo estilo
y permanecen como las construcciones
arquitectónicas más grandiosas de la España
medieval. También son notables las
catedrales de Ávila, Segovia y Barcelona.

**Catedral gótica de León**

# 12 En busca de la historia y el arte (3)

## Hasta el siglo XIX

Durante el reinado de Isabel y Fernando, los Reyes Católicos (1469-1504), se instauró en España la unidad dinástica y el poder supremo de la monarquía. Por medio de sus descubridores y navegantes (América, 1492), España se abre al mundo y comienza a levantar un Imperio que en un siglo se extenderá por gran parte de Europa y por todos los continentes.

## Plateresco

En el terreno artístico, la transición de la Edad Media al Renacimiento se hace a partir de la mezcla del gótico tardío, con influencias árabes (mudéjar) y con las nuevas tendencias clasicistas. Nace así el estilo *plateresco* o *isabelino*

**Catedral de Santiago de Compostela**

(Isabel la Católica), caracterizado por su bella decoración en relieve. Sus obras más importantes se encuentran en Salamanca (la catedral y la universidad), León (San Marcos), Cáceres y Valladolid (San Gregorio).

## Renacimiento

A principios del siglo XVI, el plateresco se extingue para dar paso al más sobrio clasicismo. Los primeros exponentes fueron la universidad de Alcalá, el alcázar de Toledo, el palacio de Carlos V en la Alhambra y las catedrales de Granada y Jaén. Pero la obra cumbre del Renacimiento es, sin duda, El Escorial, a la vez palacio, monasterio, iglesia y panteón real. Destacan en él tanto la grandiosidad y perfección de las líneas,

**Universidad de Salamanca**

como la extraordinaria sobriedad decorativa. Construido por Felipe II, fue su residencia hasta su muerte, y símbolo del esplendor y poderío de la dinastía de la Casa de Austria.

## Barroco

El clasicismo renacentista dominó también en la escultura (Gil de Silóe, Alonso de Berruguete) y en la pintura (El Greco) durante el siglo XVI. Pero, a fines del siglo y, sobre todo, durante el siglo XVII, se desarrolla en España el estilo barroco, caracterizado por la expresividad, el contraste de luces, la riqueza ornamental y el movimiento. En este período, la escultura y la pintura españolas alcanzan la cima del arte universal. Pintores como El Greco, Murillo, Zurbarán, Ribera, Velázquez y muchos otros, han dejado un legado que es orgullo de nuestra historia.

El Barroco se prolongó hasta el siglo XVIII, acentuando aún más su decorativismo: Plaza Mayor de Salamanca, fachada del Obradoiro (Santiago de Compostela). También en la escultura, con Salzillo.

**Fuente de la Cibeles. Madrid**

## Neoclasicismo

La nueva dinastía borbónica (1700), de origen francés, abrió las puertas al estilo neoclásico, que dominaba en Francia y en Italia, y que triunfó también en España durante todo el siglo XVIII y parte del XIX. Entre las obras neoclásicas destacamos: el Palacio Real de Madrid, los palacios de La Granja y Aranjuez, San Francisco el Grande de Madrid, el edificio del Museo del Prado. El mismo estilo se impuso también en la pintura (primera época de Goya) y en otras artes decorativas (cerámica y tapices).

*La Venus del Espejo*, de Velázquez. National Gallery, Londres

# 13 En busca de la historia y el arte (4)

## Hasta nuestros días

El Racionalismo ilustrado y el Absolutismo borbónico entran en crisis a fines del siglo XVIII. El desencadenante fue la invasión napoleónica, fieramente repelida por los españoles en la Guerra de la Independencia (1808-1814). La consecuencia fue una serie interminable de revoluciones liberales y contrarrevoluciones conservadoras, que se prolongaron más de un siglo.

## Hacia el romanticismo

En este contexto, la evolución del pintor Francisco de Goya (1746-1826), desde el convencionalismo neoclásico hasta el perromanticismo de sus «pinturas negras», es un símbolo de su época. Pero Goya, pintor oficial de Corte, primero; sospechoso de liberalismo, después, y finalmente exiliado, fue un adelantado a su tiempo. Salvo una minoría de neomedievalistas y románticos, la mayoría de los artistas del siglo XIX siguió todavía la tradición neoclásica.

Picasso: *Jacqueline entre flores*

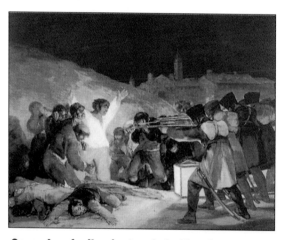

Goya: *Los fusilamientos de la Moncloa*

## El modernismo

La ruptura con el Neoclasicismo sólo triunfó plenamente con el Modernismo, a fines del siglo XIX. El arquitecto Antonio Gaudí fue su exponente más original, con su mezcla de goticismo y decorativismo (Sagrada Familia, Parque Güell, Casa Milà).

## Impresionismo, Expresionismo y Surrealismo

El Impresionismo no tuvo mucha aceptación en España, aunque Santiago Rusiñol y Ramón Casas son figuras reconocidas. En cambio, el Expresionismo tuvo gran éxito, con pintores tan notables como Nonell,

Zuloaga, Gutiérrez Solana o
José María Sert.
Las fantasías del
subconsciente son la
inspiración del Surrealismo,
que triunfó con Joan Miró
y Salvador Dalí.

## Pablo Ruiz Picasso
## (1881-1973)

Artista personalísimo,
desarrolló una obra
pictórica muy variada y
original, que culmina en el
Expresionismo, el Cubismo
y el Abstracto. El *Guernica*
y *Las señoritas d'Avignon*
marcan un hito en el arte
de nuestro siglo.

**Miró: *La Masía***

## El arte de la posguerra

El arte de la posguerra no siguió una
dirección única, pero mantuvo un alto nivel.
Destacamos los pintores B. Palencia,
R. Zabaleta, A. Saura, R. Canogar,
M. Miralles; los escultores J. de Ávalos,
Oteiza, Chillida; los arquitectos M. Fisac y
Coderch de Sentmenat.
En la actualidad, se mantiene el gran nivel
creativo y la diversidad de tendencias, sobre
todo en la pintura: Abstracto (Tàpies),
Figurativismo (Arroyo, Gordillo) e
Hiperrealismo (Antonio López).

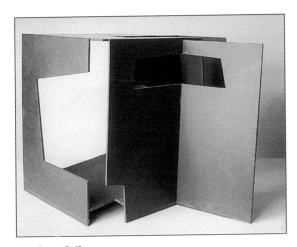

**Oteiza: *Odiseo***

**Dalí: *La Madonna de Port Lligat***

# Transportes y comunicaciones

**Modernas carreteras de España**

Es bien sabido que el sector de transportes y comunicaciones es fundamental para el buen desarrollo económico, cultural y social de un país. España ha realizado una gran inversión en infraestructuras en los últimos años, hasta situarse a la altura de cualquier país de su entorno.

## Viajar en avión

La mayoría de las ciudades españolas están comunicadas por vía aérea, a la vez que desarrollan un gran tráfico internacional. Existen 42 aeropuertos, con un movimiento de pasajeros superior a los 130 millones por año. Sólo el de Madrid-Barajas recibió, en 1999, 28.006.714 pasajeros, procedentes el 52 % de vuelos interiores, y el 48 %, de vuelos internacionales. En cambio, Palma de Mallorca recibió, en el mismo año, 19.227.778 pasajeros, de los cuales un 23 % en vuelos nacionales y un 77 %, internacionales, generalmente «charter».

## En barco

En cuanto al tráfico de pasajeros por mar, varias ciudades españolas (Valencia, Barcelona, Málaga) comunican habitualmente la Península con las islas Baleares y Canarias y con el norte de África. La compañía naviera más importante es la Transmediterránea, que transporta pasajeros y automóviles. Los puertos más importantes para el tráfico de mercancías

**Confort, rapidez y seguridad en los recorridos del AVE, tren de alta velocidad**

son: Barcelona, Bilbao, Valencia y Vigo, entre otros.

## En tren

Más de 13.000 kilómetros de vía enlazan los pueblos y las ciudades de España. Debido a la orografía accidentada del terreno, en España todavía existen recorridos auténticamente pintorescos. Pero en los últimos 30 años las líneas ferroviarias y los trenes han experimentado una modernización espectacular,

**Avión en el aeropuerto de Palma de Mallorca**

que se ha traducido no sólamente en una mayor rapidez sino en la mejora de la calidad de los servicios de atención al cliente. Por ejemplo: el tren de alta velocidad, AVE, es capaz de recorrer la distancia Madrid-Sevilla (538 km) en 2 horas y 45 minutos. Varias líneas AVE, ya en curso de realización, unirán Madrid con Barcelona, Valencia, Hendaya (Francia), etcétera.

## En automóvil

Más de 162.000 km de carreteras surcan el territorio; de ellos, más de 2.000 km son autopistas (de peaje) y unos 7.000 km, de autovías y carreteras de doble calzada (gratuitas). El número de vehículos matriculados en toda España supera los 19,5 millones (1999); de ellos, 16.847.397 son automóviles (turismos).

## Teléfono

Hoy día desde cualquier pueblo de España es posible comunicarse con el rincón más apartado del mundo, gracias al teléfono. Miles de cabinas públicas hacen accesible este servicio a cualquier usuario, mediante monedas o tarjetas de crédito. El desarrollo tecnológico en el sector (fax, teléfono móvil, correo electrónico) está transformando profundamente la vida empresarial y familiar.

## Correos

En España es un servicio público, que cuenta con unas 10.000 oficinas y lugares de distribución. Debido a las nuevas costumbres, cada vez se envían menos cartas personales, a la vez que se incrementan los envíos publicitarios, publicaciones periódicas, etc. Correos cubre, asimismo, el envío de dinero por el servicio de giro postal o telegráfico. Aunque Correos es todavía en España un organismo público dependiente del gobierno, en los próximos años será privatizado para adecuarse a la normativa de la Unión Europea.

**Correos y teléfonos al servicio del público**

# ⑮ Comercio

**Industria en un pueblo de Murcia**

El comercio español y, en general toda la economía, guarda una estrecha relación con la economía general de la Unión Europea. Desde el ingreso de España en la CEE (1 de enero de 1986), esta relación ha aumentado notablemente y se incrementa cada año. Así, cerca del 70 % de las importaciones y de las exportaciones provienen o tienen como destino algún país miembro de la Unión Europea.

Por otro lado, España es un país con una balanza comercial tradicionalmente deficitaria. Es decir, importa más de lo que exporta (un 24 % más en 1999, por ejemplo). Por sectores, su principal capítulo de importación son los equipamientos industriales (por encima, incluso, del petróleo). En cuanto a las exportaciones, el principal capítulo lo constituyen los automóviles (más de la mitad de los coches que se fabrican en España se destinan a la exportación). Otros productos de exportación son: maquinaria y material eléctrico, manufacturas metálicas, frutas y verduras, productos químicos, textiles y minería.

**Interior de una tienda de alimentación**

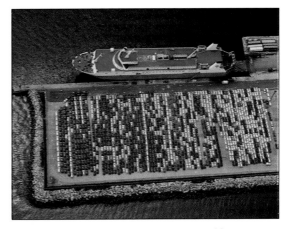
**Automóviles listos para la exportación**

Por países, Francia es el principal proveedor de España y también su mejor cliente. El segundo lugar lo ocupa Alemania. Ambos, Francia y Alemania, cubren casi un tercio del comercio exterior español, tanto de importaciones como de exportaciones. También el comercio interior ha sufrido una total transformación. El consumo privado nacional ha crecido una media anual superior al 3 % y se ha extendido por zonas geográficas (España interior) y por sectores sociales (pensionistas) tradicionalmente muy marginados. La circulación de mercancías entre cualquier punto de España es hoy día rápida y barata, gracias a las nuevas infraestructuras de transporte y comunicación.

Las redes de distribución y de comercialización se han renovado, con un crecimiento espectacular de las cadenas de centros comerciales (grandes superficies), como El Corte Inglés, Fnac, Pryca, Carrefour, Alcampo, hipermercados de barrio... A pesar de ello, la pequeña tienda tradicional sigue siendo el punto de compra preferido por los españoles, por su mayor proximidad al consumidor. Pero el retroceso económico de mediados de los 90 produjo un aumento notable de los problemas para las pequeñas empresas y aceleró la concentración de la actividad comercial en las cadenas de grandes superficies y centros comerciales, muchos de ellos de propiedad extranjera.

## ● Comercio exterior
Distribución geográfica

| Áreas geográf. | Importaciones 1999 | | Exportaciones 1999 | |
|---|---|---|---|---|
| | M. Ptas. | % | M. Ptas. | % |
| **Europa** | 16.211.119 | 71,71 | 13.210.473 | 76,83 |
| 1. UE (15) | 15.294.862 | 67,66 | 12.319.413 | 71,65 |
| 2. Europa del Este | 536.413 | 2,37 | 474.500 | 2,76 |
| 3. Otros | 379.845 | 1,68 | 416.562 | 2,42 |
| **África** | 1.098.130 | 4,86 | 630.392 | 3,67 |
| **América** | 2.195.842 | 9,71 | 1.885.638 | 10,97 |
| 1. Estados Unidos | 1.231.116 | 5,45 | 753.188 | 4,38 |
| 2. Latinoamérica | 796.643 | 3,52 | 1.004.789 | 5,84 |
| 3. Otros | 168.082 | 0,74 | 124.787 | 0,73 |
| **Asia** | 3.017.375 | 13,35 | 1.170.918 | 6,81 |
| 1. Japón | 712.465 | 3,15 | 183.115 | 1,06 |
| 2. Otros | 2.304.910 | 10,20 | 987.803 | 5,74 |
| **Oceanía** | 83.084 | 0,37 | 79.402 | 0,46 |
| Otros | 704 | 0,00 | 218.034 | 1,27 |
| **Total** | **22.606.254** | **100,0** | **17.194.856** | **100,00** |

# 16 Las grandes empresas de España

Las empresas españolas han sufrido un gran cambio en los últimos años.

Acostumbradas a un sistema proteccionista y a estrategias de mercado pequeño, el ingreso de España en la UE ha supuesto una inmediata internacionalización de la economía, obligando al mundo empresarial a buscar nuevos caminos en un mercado cada vez más competitivo y abierto. Nada diferente, por otra parte, de lo sucedido en la Europa comunitaria.

España se ha caracterizado tradicionalmente por una notable atomización empresarial. Así, por ejemplo, regiones españolas de fuerte implantación industrial, como el País Vasco, nunca se han distinguido por contar con grandes

**Grandes rascacielos en el centro de Madrid**

## ● Las mayores empresas españolas (1999)

| Grupo | Sector | Ingresos en millones de pesetas | Plantilla | Beneficio neto |
|---|---|---|---|---|
| Repsol YPF | Energía | 4.735.119 | 29.807 | 168.149 |
| Telefónica | Telecomunicaciones | 3.819.734 | 118.778 | 300.293 |
| Endesa | Energía | 2.245.340 | 33.612 | 212.653 |
| TI Telefónica Internacional España | Telecomunicaciones | 1.615.407 | 36.332 | 67.015 |
| El Corte Inglés | Grandes almacenes | 1.562.077 | 63.112 | 60.572 |
| Altadis | Actividades diversas | 1.422.206 | 9.424 | 38.573 |
| Compañía Española de Petróleo | Energía | 1.353.680 | 9.062 | 42.302 |
| Fabricación de Automóviles Renault España | Vehículos | 1.195.478 | 14.074 | 11.675 |
| Centros Comerciales Carrefour | Grandes almacenes | 1.143.000 | 35.890 | 33.158 |
| Iberdrola | Energía | 1.039.930 | 12.653 | 121.531 |
| Seat | Vehículos | 968.862 | 14.465 | 14.210 |
| Opel España | Vehículos | 774.520 | 9.200 | 19.951 |
| Citröen Hispania | Vehículos | 709.000 | 9.050 | — |
| Ford España | Vehículos | 700.432 | 7.498 | — |
| Eroski | Grandes almacenes | 639.919 | 20.750 | 10.023 |
| Fomento de Construcciones y Contratas | Construcción/ Inmobiliaria | 637.024 | 46.443 | 42.127 |

empresas. La tendencia está invirtiéndose en los últimos años, en los que curiosamente asistimos a una mayor concentración y fusión empresarial, de cara a ganar competitividad en los mercados nacionales. Por cifra de ventas, la primera empresa española es Repsol YPF (petróleo), seguida de Telefónica (telecomunicaciones). Después, siguen grandes empresas de la energía (ENDESA, CEPSA), y de

**Rebajas en unos grandes almacenes. El Corte Inglés. Madrid**

**Sede central del Banco de España, en Madrid**

la distribución (El Corte Inglés, Altadis, Carrefour...). En cuanto a importaciones, los principales productos importados corresponden al sector de automóviles, aviones y repuestos; y los exportados, automóviles, calderas, máquinas y artefactos mecánicos.

Para encontrar grandes empresas españolas hay que pasar al mundo de la Banca, donde se han producido grandes concentraciones. En este sector, el liderazgo lo ostenta el grupo BSCH, compuesto por Santander, Banesto y Central-Hispano. En segundo lugar y a poca distancia, el grupo BBVA, compuesto por Bilbao-Vizcaya y Argentaria. Pero las concentraciones seguramente no han terminado.

Entre las Cajas de Ahorro destacan Caja Madrid y la Caixa de Barcelona.

# 17 Servicios públicos del Estado

## Sanidad

En España, al igual que en el resto de los países de la Unión Europea, el Estado es el responsable de la prestación de los servicios sanitarios. Los cambios producidos en la población española (incremento de la esperanza de vida, disminución de la natalidad, envejecimiento de la población, etc.), hacen que la demanda sanitaria en España corresponda a una sociedad del bienestar. Dicho de otra manera, no se trata tanto de erradicar graves deficiencias

la protección de la salud, la planificación de los recursos sanitarios y su financiación.
A través del INSALUD (Instituto Nacional de Salud), organismo dependiente del Ministerio de Sanidad y Consumo, se administran y gestionan todos los servicios sanitarios públicos.
La asistencia sanitaria pública en España se financia, fundamentalmente, con ingresos procedentes de impuestos y, en una tercera parte, por cotizaciones sociales. En 2001, el presupuesto para Asistencia Sanitaria ascendió a 4,5 billones de pesetas; es decir, un 22 % de la totalidad de los gastos del Estado español.
Actualmente, el 99 % de la población española tiene derecho a la asistencia sanitaria pública. Sin embargo, un 10 % de la población tiene también una cobertura de asistencia sanitaria privada. Los esfuerzos realizados en los últimos años en el

**Hospital Clínico de Zaragoza**

sanitarias (que no existen), cuanto de mejorar los niveles de salud.
El Sistema Sanitario Español se articula a través de los Servicios de Salud de la Administración del Estado y de las Comunidades Autónomas. El Ministerio de Sanidad y Consumo es el encargado de asegurar a todos los ciudadanos el derecho a

campo de la sanidad pública en España han mejorado notablemente la calidad de los servicios y recuperado la confianza de los españoles a la hora de utilizar los servicios sanitarios públicos. El motivo fundamental de descontento está relacionado con las demoras y listas de espera, no con la calidad de los servicios.

## Seguridad Social

Los españoles no sólo tienen derecho a una asistencia sanitaria gratuita, sino a una paga (pensión) a partir del momento de su jubilación. Ambos derechos están garantizados a través de la Seguridad Social. Los gastos en la Seguridad Social han seguido en España una tendencia creciente. En 2001, el presupuesto para prestaciones económicas (pensiones) ha sido de 9,8 billones de pesetas. En cuanto al número de pensiones, en 1976 alcanzaban a 3,5 millones de personas y en 2001 a 7,7 millones. Los recursos financieros de la Seguridad Social provienen de las cotizaciones empresariales y de los trabajadores, así como de la aportación estatal. La acción protectora de la Seguridad Social comprende no sólo pensiones de jubilación, sino subsidios de incapacidad temporal, prestaciones por invalidez permanente, desempleo, protección a la familia

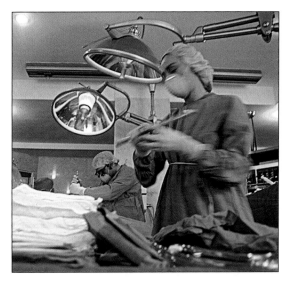

**Cirujanos del Hospital Provincial de Madrid**

y servicios sociales y, por supuesto, la asistencia sanitaria a través de instituciones abiertas (ambulatorios) o cerradas (hospitales).

La pensión de jubilación es vitalicia y se reconoce al beneficiario cuando cesa en el trabajo por razón de su edad (65 años). A través de la Seguridad Social se garantizan, asimismo, las pensiones de viudedad y orfandad, así como las prestaciones por desempleo. El número de beneficiarios de estas prestaciones económicas por desempleo fue en 1999 de 1.051.800 personas.

A través del INSERSO (Instituto Nacional de Servicios Sociales, dependiente del Ministerio de Asuntos Sociales) se gestionan todos los servicios comunes de la Seguridad Social relacionados con la rehabilitación de minusválidos y con la atención a pensionistas, refugiados y asilados.

## ● Evolución de la esperanza de vida por sexo
Años 1910-1990

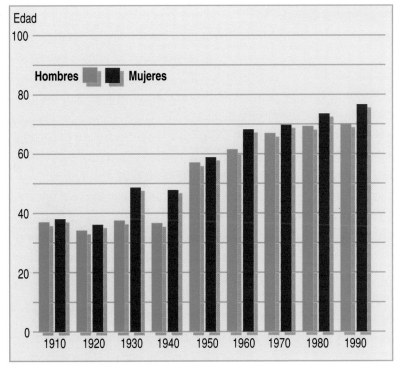

Fuente: INE Anuario 1992 "Funciones Biométricas de la población española"

# **17b** Enseñanza

**Aula de niños de Educación Primaria**

la Universidad (en España hay, en 2001, más de 1.500.000 universitarios, de los que más de la mitad son mujeres).

La Constitución española reserva a la Administración Central las competencias generales sobre educación: legislación básica, regulación de validez de títulos, ordenación de los niveles, cursos y duración, contenidos mínimos y planificación general. El resto de las competencias educativas, o está ya en manos de la Comunidad Autónoma (Andalucía, Canarias, Cataluña, Galicia, País Vasco, Navarra, Comunidad Valenciana, Madrid), o lo estará en un futuro próximo. Las competencias educativas de las provincias y municipios son muy limitadas. Los ayuntamientos tienen a su cargo la conservación y mantenimiento de los centros de Preescolar y Primaria y aportan el solar para las construcciones escolares. Aunque todos los españoles tienen derecho a una enseñanza pública y gratuita, también tienen derecho a escoger la enseñanza privada, tradicionalmente ligada a la Iglesia Católica. Hasta hace poco, la clientela típica de la enseñanza privada estaba formada por las clases medias y acomodadas, que podían pagarla, quedando la enseñanza pública para las clases más populares.

Actualmente, a través de la LODE (Ley Orgánica del Derecho a la Educación, de 1985) y de la LOGSE (Ley Orgánica de Ordenación General del Sistema Educativo, de 1990), se

Una de las grandes conquistas sociales de la España de los últimos años se ha producido, sin duda, en el campo de la enseñanza. Antes de 1970 la enseñanza Preescolar era muy reducida, la Primaria distaba mucho de ser universal, la Formación Profesional era escasa, el Bachillerato, que comenzaba a los diez años, era mayoritariamente privado y elitista, y la Universidad era un lugar para minorías privilegiadas.

Actualmente, el 97 % de los niños de cuatro o cinco años está escolarizado, la enseñanza obligatoria hasta los dieciséis años hace tiempo que es universal, en torno al 80 % de los jóvenes cursa estudios de Bachillerato y el 30 % de los jóvenes españoles estudia en establece que todos los centros privados financiados con fondos públicos deben ser gratuitos, y aunque estos centros privados pueden mantener la orientación pedagógica o religiosa que prefieran, deben respetar la libertad de enseñanza de los profesores y la conciencia de los alumnos y padres.

En el curso 1999-2000, el total de alumnos atendidos por la enseñanza pública era de 6.280.124, mientras que el de la enseñanza privada era de 2.295.197. Si se analiza por

**Alumnos en la Ciudad Universitaria**

niveles, se observa una gran desigualdad. En efecto, la enseñanza privada atendía al 32,3 % de los alumnos de Preescolar, al 33,4 % de los de Primaria, al 28,4 % de los de Educación Secundaria y de Formación Profesional, pero sólo al 6,7 % de los universitarios. Hay que señalar, sin embargo, que el 90 % de las unidades de los centros privados de Primaria estaba concertado, es decir, que en ellas se impartía enseñanza gratuita subvencionada.

## ● Nuevo Sistema Educativo Español

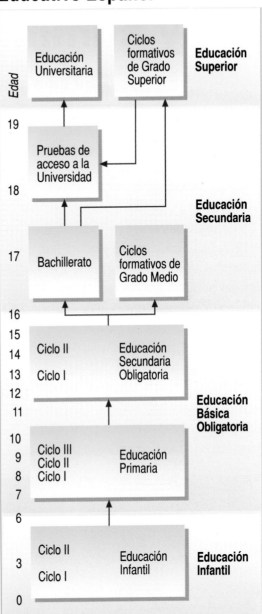

Fuente: Ministerio de Educación y Ciencia

La enseñanza en España afronta actualmente una profunda reforma que afecta a todos los niveles educativos. En la Secundaria, la reforma de 2002-2003 busca potenciar los contenidos humanísticos. Para la Universidad, el gobierno propone una nueva ley (2002), que cambia sustancialmente el modelo anterior.

# 18 Organización política y administrativa del Estado. Introducción

Como Estado, la España actual ha adoptado la forma de monarquía parlamentaria, que se rige por una Constitución aprobada por referéndum popular el 6 de diciembre de 1978. La Constitución Española fue elaborada por consenso entre los diversos partidos políticos del primer parlamento democrático elegido en junio de 1977 y hasta nuestros días no ha sufrido modificación alguna.

En esta norma fundamental se establece el papel de la Corona en la estructura del Estado, así como las funciones de los tres poderes básicos: el *ejecutivo* (el Gobierno), el *legislativo* (Las Cortes Generales, en las que reside la representación popular) y el *judicial*. Se define también la organización territorial: la Administración local (ayuntamientos y diputaciones) y autonómica (comunidades autónomas), y las relaciones institucionales entre los diversos órganos del Estado.

La Constitución Española pretende instaurar un Estado social y democrático de derecho, que garantiza a todos los ciudadanos una amplia relación de derechos y libertades. Regula la participación de los españoles en los asuntos públicos a través de un sistema electoral basado en el sufragio universal. Reconoce a los partidos políticos y a los sindicatos el papel de canalizadores de la participación de los ciudadanos en la vida política y social.

El Tribunal Constitucional es el órgano judicial encargado de garantizar el cumplimiento de todos esos preceptos. En primer lugar, controla la constitucionalidad de las leyes que promulga el Parlamento. En segundo lugar, dirime

**El Rey sancionó solemnemente la Constitución el 27 de diciembre de 1978, en presencia de senadores y diputados**

40

La Sede del Tribunal Constitucional en Madrid

La Constitución refleja el consenso entre todas las fuerzas políticas

los conflictos de competencias entre el Estado y las Comunidades Autónomas. Finalmente, atiende los recursos de los ciudadanos en defensa de sus derechos fundamentales.

La Constitución de 1978 ha supuesto una profunda ruptura con el reciente pasado de España, que se caracterizó por la inestabilidad política y por la intervención del Ejército y de la Iglesia Católica en el gobierno del Estado.

La nueva democracia se asienta sobre los siguientes pilares constitucionales:

*La Corona* (Monarquía)
*El Gobierno* (Ejecutivo)
*Las Cortes Generales* (Parlamento)
*El poder judicial* (los jueces)
*Los ayuntamientos y diputaciones*
*Las Comunidades autónomas*
*El sistema electoral*
*Los partidos políticos*
*Los sindicatos*
*Las nacionalidades históricas*

41

# 18a La Corona (Monarquía)

**El Rey don Juan Carlos I**

Corona tienen siempre un contenido simbólico e integrador y en ningún caso se confunden con las competencias políticas, que se reservan al Parlamento (Cortes Generales) y al Gobierno.

Así, el Rey sanciona las leyes, propone al Congreso de Diputados un candidato a Presidente del Gobierno y nombra a los ministros. Pero la responsabilidad del monarca se sitúa siempre en el ámbito del refrendo institucional, pues el poder político real reside en el Parlamento y en el Gobierno. De la misma manera, el Rey, en cuanto Jefe del Estado, ostenta la jefatura del Ejército. Este, no obstante, está subordinado al Gobierno, especialmente al Ministro de Defensa.

Según el artículo 1º de la Constitución, la soberanía reside en el pueblo. Pero a continuación, se establece que la forma política del Estado español es la monarquía parlamentaria.

El Rey, en cuanto Jefe del Estado, simboliza la unidad y la permanencia del Estado, y asume su más alta representación en las relaciones internacionales. Además, la Constitución le atribuye importantes competencias arbitrales en el funcionamiento regular de las instituciones del Estado. Pero todas las funciones de la

**Don Juan Carlos con sus padres y hermanos**

**Los Reyes Juan Carlos y Sofía, el Príncipe Felipe y las Infantas Elena y Cristina**

De este complejo reparto de competencias no existen precedentes en la tradición constitucional española. Por ello, pudo haber provocado conflictos imprevisibles muy peligrosos para la supervivencia de todos; y sobre todo, de la persona que ha encarnado la nueva monarquía española, don Juan Carlos I de Borbón.

Juan Carlos I, nieto de Alfonso XIII, destronado en 1934 por la II República Española, fue investido Rey de España el 22 de noviembre de 1975, dos días después de la muerte del dictador Franco. Desde un principio, Juan Carlos asumió con prudencia, pero con decisión, el papel de impulsor de la democracia en España, para convertirse en "rey de todos los españoles". Dirigió hábilmente la transición a la democracia, promulgó la nueva Constitución de 1978, frenó los movimientos golpistas de grupos militares y civiles (el golpe de Tejero, el 23.2.1981), y ha sabido convivir con gobiernos de izquierdas (PSOE) y de derechas (PP).

Don Juan Carlos reside con su familia en el palacete de La Zarzuela, a las afueras de Madrid. Tiene tres hijos, que son, por orden de sucesión: Felipe, Elena y Cristina.

**El Príncipe Felipe**

# 18b El Gobierno (Ejecutivo)

El poder ejecutivo en España reside en el Gobierno, como órgano superior de la Administración Pública. En su seno sobresale la figura del Presidente del Gobierno, cuyos poderes específicos permiten definir el sistema constitucional español como un *régimen de primer ministro*.

En efecto, la formación del Gobierno se realiza en dos fases bien definidas. En la primera, el candidato a Presidente somete a la aprobación del Congreso de Diputados su programa de Gobierno y consigue la investidura si obtiene al menos el voto de la mayoría simple de los Diputados. En la segunda, el Presidente, una vez recibida la confianza del Congreso y nombrado formalmente por el Rey, propone a éste el nombramiento de los ministros que formarán su gabinete. Varias disposiciones de la Constitución vigente contribuyen a reforzar la permanencia y estabilidad del Gobierno y el protagonismo de su Presidente, durante la totalidad de la legislatura (periodo entre dos elecciones generales). Así, para deponer un Gobierno, se exige la aprobación de una moción de censura por mayoría absoluta (la mitad más uno de los miembros de derecho del Congreso), y la obligación de presentar un candidato alternativo

**Adolfo Suárez**

**Primer Gobierno de la democracia (junio de 1977), presidido por Adolfo Suárez**

que, si es aprobado, se convierte automáticamente en nuevo Presidente. Además, el Gobierno en ejercicio tiene otras facultades preferenciales: la iniciativa legislativa (proyectos de ley), la legislación de urgencia, la prioridad del proyecto de Presupuestos Generales del Estado...

No hay un número fijo de ministros. El Presidente, junto con el Vicepresidente y el conjunto de los ministros, forma el Consejo de Ministros, órgano colegiado a través del cual el Gobierno ejerce la dirección política y administrativa. Los distintos ministerios que integran la Administración pública están representados en el Consejo de Ministros a través de su titular. Pero, según la Constitución, esta dependencia no debe llevar a los funcionarios a alejarse del principio de objetividad, imparcialidad y sometimiento a la ley en el cumplimiento de la función pública.

Los Presidentes de Gobierno del periodo constitucional han sido: Adolfo Suárez (1976-1981), Leopoldo Calvo Sotelo (1981-1982), Felipe González (1982-1996) y José María Aznar (1996-).

La residencia oficial de la Presidencia del Gobierno está establecida en el complejo del Palacio de la Moncloa, al oeste de Madrid.

**Palacio de la Moncloa (Madrid), residencia del Presidente del Gobierno**

# 18c Las Cortes Generales (Parlamento)

La representación política del pueblo español reside en el Parlamento, también llamado Cortes Generales, siguiendo una antigua tradición que procede de la Edad Media. Los miembros del Parlamento son elegidos por sufragio universal, directo y secreto, de todos los españoles.

Las Cortes Generales constan de dos Cámaras: el *Congreso de los Diputados,* o Cámara baja, y el *Senado,* o Cámara alta. Se trata de un sistema bicameral conocido como "imperfecto", porque las funciones de cada Cámara no son equivalentes. De hecho, el Senado ejerce un papel de Cámara de "relectura" y aunque puede vetar o enmendar los proyectos ya aprobados en el Congreso, al final es la decisión de éste la definitiva. Por otra parte, la Constitución otorga al Senado el carácter de cámara de representación territorial, con un régimen electoral propio.

El Congreso de los Diputados ostenta la hegemonía en el ejercicio de la potestad legislativa y en la función de control del poder ejecutivo. Es el único órgano con facultades para otorgar la investidura al Presidente del Gobierno o para hacerle dimitir. Es la sede natural de los grandes debates políticos entre el Gobierno y la oposición y el lugar en el que el Gobierno se somete a preguntas e interpelaciones y a las comisiones de investigación.

**Palacio de Las Cortes. Sede del Congreso de los Dipuatados**

**El palacio del Senado, en Madrid**

El Congreso se compone de 350 diputados, elegidos por un sistema proporcional bastante corregido, para un periodo de cuatro años. El Senado está formado por 254 senadores, elegidos por un sistema mayoritario, parte (208) a razón de cuatro por provincia y parte (46) designados por los Parlamentos de las Comunidades Autónomas.

El mandato de diputados y senadores dura, en principio, cuatro años, pero el Gobierno tiene la facultad de disolver anticipadamente las Cámaras y convocar nuevas elecciones generales.

El Congreso de los Diputados tiene su sede en el histórico edificio (siglo XIX) de la Plaza de las Cortes, en Madrid.

El Senado, por su parte, está instalado en el Palacio de la Marina (Plaza de la Marina Española), recientemente ampliado.

**El Congreso de los Diputados. Hemiciclo y tribuna de oradores**

# 18d El Poder Judicial (los jueces)

Reconocido por la Constitución como uno de los tres poderes básicos del Estado, su misión consiste en asegurar la sumisión de todos al imperio de la Ley y en defender los derechos, libertades e intereses legítimos de todos los ciudadanos. Para ejercer esa función, la Constitución garantiza a los jueces la independencia y la inamovilidad, de manera que sólo deben obediencia a la Ley y a su propio sistema de autogobierno, el Consejo General del Poder Judicial. Este Consejo está compuesto por veinte miembros elegidos por el Parlamento, por mayoría de tres quintos. Sus competencias son fundamentales: elegir al Presidente del Tribunal Supremo y a dos de los doce miembros del Tribunal Constitucional, decidir destinos y ascensos y mantener el régimen disciplinario.

Los juzgados y tribunales están organizados territorialmente por municipios, provincias, Comunidades Autónomas o para toda España. En cada Comunidad existe un Tribunal Superior de Justicia. En Madrid, la Audiencia Nacional y el Tribunal Supremo tienen jurisdicción para toda España.

El Tribunal Supremo es la última instancia jurídica en todos los órdenes, con excepción de los derechos fundamentales y de las garantías constitucionales, cuya defensa compete al Tribunal Constitucional, una vez agotadas las instancias ordinarias.

**La Audiencia Nacional**

El Tribunal Constitucional, cuyas competencias fija la propia Constitución, (Título IX), está formado por doce miembros, que son nombrados por el Rey por un periodo de nueve años a propuesta el Gobierno, y dos, por el Consejo General del Poder Judicial. Durante los años que lleva de funcionamiento, este Tribunal ha creado una abundante jurisprudencia, tanto en cuanto a la constitucionalidad de ciertas leyes, como a la protección de los derechos de los ciudadanos.

En 1979 España se adhirió a la Convención de Roma para la Protección de los Derechos Humanos y de las Libertades Fundamentales. En virtud de este convenio, los ciudadanos españoles, una vez agotadas las instancias judiciales nacionales, pueden recurrir al Tribunal Europeo de Derechos Humanos. Todo este complicado edificio de instancias y de organismos creados para la defensa de la ley y de los derechos del ciudadano, exige para su efectiva implantación muchos más medios económicos, humanos y jurídicos (leyes) de los que en la actualidad el poder judicial tiene en España. Por ello, la opinión pública se

**Palacio de Justicia. Madrid**

de diversas instituciones. Cuatro son designados por el Congreso de los Diputados por mayoría de tres quintos; cuatro, por el Senado, por igual mayoría; dos, por muestra sumamente crítica con la administración de la justicia y con la actuación de jueces y juzgados en la España de la democracia.

# 18e Los ayuntamientos y diputaciones

Los ayuntamientos o municipios por un lado, y las diputaciones provinciales por otro, forman lo que se denomina la Administración local. A lo largo de la historia, estos órganos de gobierno local han existido siempre, con uno u otro nombre. Pero su autonomía frente al Estado no era respetada. Alcaldes y Presidentes de Diputación eran nombrados por el Gobierno, que los consideraba meros instrumentos de la Administración central.

La Constitución de 1978 ha creado un nuevo derecho, que ha dado origen a un modelo democrático y descentralizado de Administración local. Esta goza de mecanismos de autofinanciación y de protección judicial frente a la invasión de otros poderes en sus competencias. Existen aproximadamente ocho mil municipios en España. La evolución demográfica de las últimas décadas se inclina hacia la concentración en grandes núcleos urbanos, con la consiguiente despoblación del campo y de los pequeños pueblos. Así, casi la mitad de los españoles viven en sólo 140 ayuntamientos, mientras

**Ayuntamiento de Bilbao**

**Ayuntamiento de Madrid**

que hay cinco mil municipios con menos de mil habitantes, y que en total no suman más de millón y medio de españoles.

Los concejales de los ayuntamientos son elegidos cada cuatro años en las elecciones municipales, por votación de listas cerradas y por el sistema proporcional. Los concejales electos constituyen el pleno municipal, que a su vez elige al alcalde por mayoría absoluta de entre sus miembros. Si no se consigue esta mayoría, se proclama alcalde al concejal que encabeza la lista más votada. La continuidad administrativa queda garantizada por el secretario del Ayuntamiento, cargo no representativo, sino funcionarial. El alcalde puede ser destituido mediante una moción de censura.

Las competencias de los ayuntamientos en el ámbito local son muy amplias: urbanismo, tráfico, medio ambiente, salud pública, impuestos, etc. Los ciudadanos dependen de ellos para la percepción de servicios básicos imprescindibles.

Las diputaciones provinciales son la institución que asegura la cooperación entre los municipios de cada provincia.

De hecho, las diputaciones nacen de los ayuntamientos. En efecto, los concejales electos en cada municipio eligen a los diputados provinciales y éstos, a su vez, nombran al Presidente de la Diputación.

Las diputaciones no existen en las Autonomías formadas por una sola provincia (Asturias, Cantabria, Madrid, Murcia, Navarra y la Rioja). En estas es la Administración autonómica la que absorbe las competencias de las diputaciones.

Por otra parte, en Baleares y en Canarias, la diputación toma el nombre de Cabildo Insular.

# 18f Las Comunidades Autónomas

Las Comunidades Autónomas se constituyen en España a partir de la Constitución de 1978, que establece los procesos políticos para pasar de la estructura estatal, unitaria y centralista, vigente hasta entonces, a una organización territorial descentralizada que se articula en diecisiete Comunidades Autónomas y dos territorios (Ceuta y Melilla) con capacidad de autogobierno.

Las Comunidades Autónomas son provincias o agrupaciones de provincias que acceden a un sistema de autogobierno mediante la aprobación de un Estatuto. Esta norma, elaborada por el Parlamento de cada Comunidad, debe ser aprobada por referéndum local y por las Cortes Generales de España. El estatuto establece las

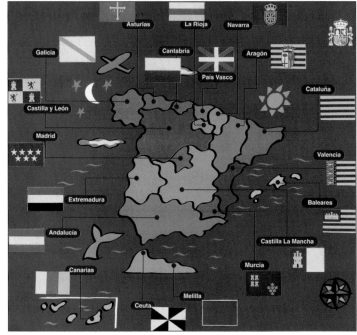

**Comunidades Autónomas**

funciones y competencias que cada Comunidad desea asumir dentro de los límites que marca la Constitución. Esta salvaguarda el principio de la unidad indisoluble del Estado español, con un único sujeto de soberanía: el pueblo español considerado en su globalidad. Todos los españoles tienen los mismos derechos y obligaciones en cualquier parte del territorio nacional y ninguna autoridad puede limitar la libre circulación de bienes y personas.

No obstante, la Constitución no ofrece una regulación definitiva de las materias y competencias

**Casa de Juntas de Guernica (Vizcaya)**

## ● Cuadro de población (2000)

| | | | |
|---|---:|---|---:|
| **TOTAL** | **40.499.791** | Ciudad Real | 476.633 |
| **Andalucía** | **7.340.052** | Cuenca | 201.053 |
| Almería | 518.229 | Guadalajara | 165.347 |
| Cádiz | 1.125.105 | Toledo | 527.965 |
| Córdoba | 769.237 | **Cataluña** | **6.261.999** |
| Granada | 809.004 | Barcelona | 4.736.277 |
| Huelva | 458.998 | Girona | 565.599 |
| Jaén | 645.711 | Lleida | 361.590 |
| Málaga | 1.278.851 | Tarragona | 598.533 |
| Sevilla | 1.734.917 | **Comunidad Valenciana** | **4.120.729** |
| **Aragón** | **1.189.909** | Alicante | 1.445.144 |
| Huesca | 205.430 | Castellón | 474.385 |
| Teruel | 136.473 | Valencia | 2.201.200 |
| Zaragoza | 848.006 | **Extremadura** | **1.069.420** |
| **Asturias (Principado de)** | **1.076.567** | Badajoz | 661.874 |
| **Baleares (Islas)** | **845.630** | Cáceres | 407.546 |
| **Canarias** | **1.716.276** | **Galicia** | **2.731.900** |
| Palmas (Las) | 897.595 | Coruña (A) | 1.108.419 |
| Santa Cruz de Tenerife | 818.681 | Lugo | 365.619 |
| **Cantabria** | **531.159** | Ourense | 345.241 |
| **Castilla y León** | **2.479.118** | Pontevedra | 912.621 |
| Ávila | 164.991 | **Madrid (Comunidad de)** | **5.205.408** |
| Burgos | 347.240 | **Murcia (Región de)** | **1.149.328** |
| León | 502.155 | **Navarra (Com. Foral de)** | **543.757** |
| Palencia | 178.316 | **País Vasco** | **2.098.596** |
| Salamanca | 349.733 | Álava | 286.497 |
| Segovia | 146.613 | Guipúzcoa | 679.370 |
| Soria | 90.911 | Vizcaya | 1.132.729 |
| Valladolid | 495.690 | **Rioja (La)** | **264.178** |
| Zamora | 203.469 | **Ceuta y Melilla** | **141.504** |
| **Castilla-La Mancha** | **1.734.261** | Ceuta | 75.241 |
| Albacete | 363.263 | Melilla | 66.263 |

del poder central y de las Comunidades. La Administración central se reserva las competencias en Relaciones Internacionales, Defensa, Fuerzas Armadas y Hacienda, aunque puede delegar (no transferir definitivamente) algunas de estas funciones. Las Comunidades tienen libertad para decidir las competencias que van a asumir entre las restantes no exclusivas del Estado (urbanismo, cultura, turismo, carreteras, transportes, pesca, enseñanza, policía y protección del medio ambiente).

Para cada transferencia de funciones, las Comunidades negocian con el Gobierno central una transferencia paralela del presupuesto necesario.

Un sistema de transferencias tan complejo es la causa de que el proceso todavía siga abierto y de que el nivel de autogobierno entre las distintas autonomías sea desigual. Por otro lado, la presencia de partidos políticos de ideología nacionalista en determinadas comunidades, agrava la tensión entre el poder autonómico y el central, dando origen a conflictos de competencias que el Tribunal Constitucional se ve obligado a dirimir.

Ante las crecientes reivindicaciones autonómicas de algunas Comunidades gobernadas por nacionalistas, el sistema previsto por la Constitución de 1978 parece a algunos excesivamente indefinido. Pero no existe por el momento el consenso político necesario para reformar la Constitución, ni siquiera para modificar el Estatuto de Autonomía de las Comunidades más nacionalistas. En ambos casos se requiere aprobación por referéndum.

# 18g El sistema electoral

La Constitución española declara, en su artículo 23, el derecho de los ciudadanos a "participar en los asuntos públicos, directamente o por medio de representantes, libremente elegidos en elecciones periódicas por sufragio universal". Exige, además, una legislación electoral específica con rango de Ley Orgánica, que requiere los dos tercios de los votos del Congreso para ser modificada, lo que garantiza una gran estabilidad.

El sistema vigente en la actualidad (leyes de 1987 y 1991) canaliza la participación ciudadana a través de cuatro procesos electorales (elecciones generales legislativas, elecciones autonómicas, elecciones municipales y elecciones europeas), que se realizan cada cuatro años, y a través del referéndum popular del que se prevén tres modalidades: el constitucional, para aprobar o modificar la Constitución; el autonómico, con las mismas funciones respecto a los Estatutos de Autonomía, y el consultivo, que puede convocar el Rey a propuesta del Presidente del Gobierno sobre cuestiones políticas relevantes.

Las elecciones legislativas designan a los diputados y senadores de las Cortes Generales. Las autonómicas eligen a los diputados del Parlamento de cada Comunidad Autónoma. Las municipales eligen a los concejales que representan a los

**Elecciones Generales de 1996. Una mesa electoral en Barcelona**

ocho mil municipios existentes en España. Los concejales son los que posteriormente eligen alcalde, normalmente el primero de la lista más votada, así como también a los

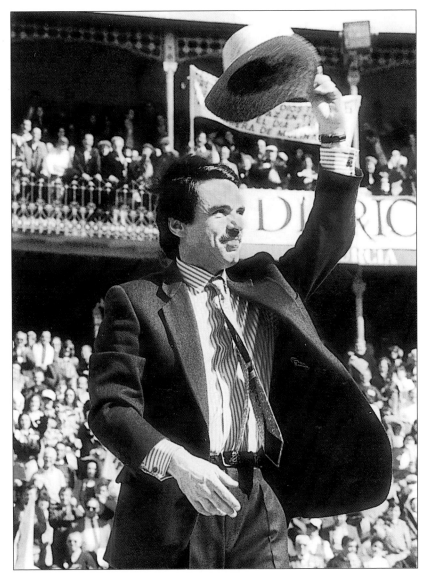

**José María Aznar, durante un mitin electoral, en Murcia (1996)**

diputados provinciales, de entre los que se designa a los Presidentes de las Diputaciones Provinciales, el órgano de gobierno de las provincias. Las elecciones europeas designan a los 60 representantes españoles en el Parlamento Europeo de Estrasburgo.
En cualquiera de los tipos de elecciones mencionados, el voto es siempre universal,

libre, directo y secreto. Pueden votar todos los mayores de dieciocho años que no hayan sido inhabilitados por sentencia judicial. Para la elección al Congreso de los Diputados, se utiliza un sistema proporcional corregido (Regla de Hont); las candidaturas se presentan en listas cerradas, completas o bloqueadas, que no permiten al votante discriminar nombres dentro de la lista. Para el Senado, el sistema es mayoritario, y el votante puede elegir tres nombres en una lista alfabética de todos los candidatos concurrentes. En las elecciones autonómicas, el sistema es similar al del Congreso, para el ámbito de cada Comunidad. En las elecciones municipales también se aplica la regla de Hont a la asignación de concejales según el número de votos de cada lista, cerrada y bloqueada.
Desde la promulgación de la Constitución en 1978, ha habido ya un buen número de elecciones y referéndums. En todos ellos se ha registrado una significativa y, a veces, alta participación de los ciudadanos, en un clima de tranquilidad y serenidad. La alternancia política se desarrolla a todos los niveles en las sucesivas convocatorias.

# 18h Los partidos políticos

En el sistema constitucional español, los partidos son los instrumentos naturales para la participación del pueblo en la vida política. De acuerdo con su rango en el ordenamiento constitucional, los partidos reciben una financiación pública con cargo a los presupuestos generales del Estado, financiación cuyo importe anual se calcula por el número de votos y de escaños parlamentarios conseguidos en las elecciones legislativas. Por tal motivo, los grupos políticos que no obtienen representación parlamentaria se ven privados de dicha ayuda económica.

**Logotipos de los principales partidos**

A pesar de la escasa tradición de política partidaria en la España contemporánea, las elecciones celebradas desde 1978 hasta nuestros días han consolidado un reparto muy estable de votos, que se concentran en dos grupos mayoritarios. Por un lado, un gran partido de derecha o de centro-derecha (antes Unión de Centro Democrático- UCD; ahora Partido Popular - PP), de ideología conservadora y liberal. Por otro lado, un gran partido de izquierdas o de centro-izquierda (el Partido Socialista Obrero Español - PSOE), de ideología socialdemócrata.

A la izquierda del Partido Socialista también consigue una pequeña representación parlamentaria una formación (Izquierda Unida) liderada por el Partido Comunista español. Los grupos de derecha más radical,

**La sede del Partido Popular en Madrid**

**En este establecimiento de Madrid fundó Pablo Iglesias la Agrupación Socialista, en 1888**

o bien han desaparecido o bien se han integrado en el Partido Popular. En cambio, se mantienen los partidos nacionalistas de ámbito regional. Los principales son: Convergencia y Unión -CIU en Cataluña; Partido Nacionalista Vasco -PNV en el País Vasco; Bloque Nacionalista Gallego-BNG en Galicia; Partido Andalucista -PA en Andalucía, y Coalición Canaria -CC en las Canarias.

Salvo en los períodos de mayoría absoluta de algún partido (PSOE: 1982 a 1993; PP:2000 -), los partidos vencedores en las elecciones han necesitado el apoyo de alguna minoría para gobernar. Desde 1993, los socios del partido gobernante, primero el PSOE (1993-96) y luego el PP (1996-2000), han sido los partidos nacionalistas moderados (CIU, PNV, CC). Este hecho ha reforzado el papel de estos grupos y su peso político en el Parlamento y en sus respectivas Comunidades.

Aunque la alternancia de los partidos en los órganos de poder, tanto nacional como local, se está produciendo con normalidad, según el resultado electoral de cada momento, su organización interna no alcanza el nivel de consistencia, número de militantes afiliados e ingresos económicos habituales en países de más tradición democrática. La necesidad de conseguir fondos para las cada vez más costosas campañas electorales y para otras actividades lícitas ha dado origen a algunos casos de financiación irregular que han dañado gravemente la imagen de honestidad y transparencia de los políticos y de los partidos afectados.

# 18i Los sindicatos

En contraposición con la represión a la que fueron sometidos durante la dictadura de Franco, en el actual sistema político español, los sindicatos gozan del reconocimiento de la Constitución como órganos de representación de los trabajadores en el mundo de la empresa y como medio canalizador de sus reivindicaciones económicas y sociales. La legislación laboral otorga a los sindicatos no sólo el poder de negociación y de huelga, sino también los medios (horas libres de cualquier prestación laboral) necesarios para el cumplimiento de su función.

Los sindicatos mayoritarios durante la transición han sido Comisiones Obreras

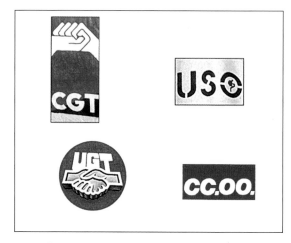

**Logotipos de las centrales sindicales**

(CCOO) y Unión General de Trabajadores (UGT). El primero estuvo originariamente controlado por militantes comunistas, para

**Líderes sindicales encabezando una manifestación**

**Acuerdo entre patronales empresariales y centrales sindicales**

abrirse en los años noventa hacia posiciones más independientes. UGT, tradicionalmente vinculado al partido socialista, también terminó rompiendo tales lazos y aproximándose a un sindicalismo multipartidista. Ambas organizaciones contribuyeron muy firmemente, en los años de la transición, a la consolidación del régimen de libertades democráticas.

Aunque enfrentados en un principio por su origen partidario (comunista y socialista), fueron estrechando sus vínculos unitarios para presionar con más fuerza al Gobierno y a los empresarios. Este progreso en la unidad de acción sindical fue paralelo a su desvinculación del partido matriz. En las elecciones sindicales celebradas hasta ahora, CCOO y UGT consiguen entre ambos un 70% de los delegados sindicales. Los otros sindicatos (CNT, OCGT, USO) son minoritarios, salvo ELA/STV, que es mayoritario en el País Vasco.

Los sindicatos no limitan su gestión a defender los derechos de los trabajadores en el seno de las empresas. Negocian los convenios colectivos laborales de ámbito nacional, regionales, provinciales y empresa a empresa. Negocian además con el Gobierno acuerdos sobre temas económicos y sociales de enorme transcendencia: salario mínimo, seguridad social, formación profesional, pensiones y jubilaciones, subsidio por desempleo, vacaciones, etcétera.

Paralelamente a los sindicatos, los empresarios se asocian en organizaciones patronales de ámbito nacional, provincial y sectorial. La asociación hegemónica en este campo es la CEOE (Confederación Española de Organizaciones Empresariales), que representa a más de un millar de empresas y es el interlocutor privilegiado del Gobierno para temas que afectan a la política económica y empresarial.

# 18j Las nacionalidades históricas

Como en casi todos los Estados modernos, el proceso de formación de España y su unidad fue largo y difícil. Los pueblos de la meseta fueron, entre todos los hispánicos, los que más se esforzaron por conseguir y mantener la unidad. Por el contrario, los de la periferia costera se inclinaron hacia la autonomía y la dispersión. Históricamente, el centralismo unionista predominó desde el Renacimiento y se impuso absolutamente en el siglo XVIII, con la dinastía de los Borbones.

Desde mediados del siglo XIX, ese centralismo empezó a ser cuestionado. Primero, por los carlistas, movimiento tradicionalista que reivindicaba los fueros históricos (leyes propias). Luego tomaron fuerza el nacionalismo catalán, el vasco, el gallego, y en menor grado, el andaluz. Durante la primera parte del siglo XX, este movimiento autonomista con tendencia hacia cierto separatismo (independencia), especialmente en Cataluña y en el País Vasco, contribuyó a la inestabilidad política y social que fue una de las causas de la Guerra Civil. La dictadura militar de Franco reprimió duramente los nacionalismos, el uso de las lenguas autónomas (catalán, vasco, gallego) y relegó al olvido la aspiración legítima hacia cierto autogobierno.

La restauración democrática posfranquista buscó la fórmula para conjugar la tendencia unificadora intrínseca a todo Estado (*un solo pueblo soberano*) con reconocimiento y respeto a la diversidad de España (*una nación de naciones*). Esta fórmula que quedó sancionada por la Constitución es *el Estado autonómico*. En él, el Estado central y unitario descentraliza parte de sus funciones y competencias entre diecisiete Comunidades Autónomas formadas por *nacionalidades* y *regiones*. En efecto, muchas de estas comunidades carecían previamente de tradición autonómica y de peculiaridades históricas (lengua y legislación propias). Son las *regiones*. En cambio hay otras que sí tienen tradición autonómica y su propia configuración

**Jordi Pujol, presidente de la Generalidad de Cataluña**

**El árbol de Guernica**

histórica (lengua, derecho, fuero fiscal...).
A estas comunidades la Constitución las
denomina *nacionalidades,* reservando para

España el término de *nación.*
La trasferencia de las competencias del
Estado central a las autonomías es un
proceso aún abierto, que de hecho ha dado
origen a Comunidades con un altísimo nivel
de autogobierno. Normalmente así ha
ocurrido con las nacionalidades históricas
(Cataluña, País Vasco, Galicia, Andalucía).
A pesar de ello, las comunidades gobernadas
por partidos políticos nacionalistas nunca
consideran suficientes las competencias
recibidas y mantienen sobre ello un conflicto
permanente con el Gobierno central.
La realidad subyacente es que el sistema de
autonomías no puede nunca llegar a
satisfacer al nacionalismo independentista o
soberanista, porque la Constitución sólo
reconoce un único soberano, el pueblo
español en su globalidad. No reconoce
soberanía al pueblo de cada comunidad
autonómica, que debe autogobernarse,
siempre dentro de los límites de la propia
Constitución.

**Palacio de la Generalidad de Cataluña, en Barcelona**

# 19 Medios de comunicación

**Publicaciones periódicas españolas**

## Prensa

En España existen alrededor de 150 diarios, en su mayoría de ámbito local o regional. Este alto número de diarios apenas totaliza unas ventas de 3,9 millones de ejemplares al día, lo que significa un total de cien ejemplares por cada mil habitantes. Las ediciones dominicales incrementan sus ventas en un 25 %, aproximadamente.

Los líderes de ventas son *El País*, *El Mundo* y *ABC*, diarios de difusión nacional editados en Madrid, aunque con ediciones regionales. *La Vanguardia* y *El Periódico* son editados en Barcelona y leídos, fundamentalmente, en Cataluña.

Dentro de la prensa diaria especializada destaca, por su importancia, la deportiva. Entre los diez diarios más vendidos figuran dos deportivos: *Marca* y *As*. Otro género en auge en los últimos años es el de la prensa económica, con un buen número de publicaciones dedicadas a esta temática.

Dentro del mercado de las revistas hay que destacar el de las pertenecientes a la llamada «prensa del corazón», que cuenta con un buen número de títulos de gran difusión: *Pronto, ¡HOLA!, Lecturas, Diez Minutos, Semana.* Las revistas de información general son ampliamente superadas en ventas por las revistas sectoriales (decoración, moda, hogar, viajes...).

## Radio

La radio en España ha sido, y es, un medio de gran influencia debido a su gran audiencia, muy superior a la de cualquier otro país europeo. En España hay 18 millones de personas que oyen habitualmente la radio,

**Estudio de Televisión Española**

## ● Distribución de la audiencia de televisión

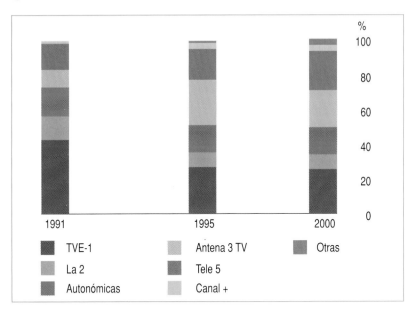

%
100
80
60
40
20
0

1991    1995    2000

- TVE-1
- La 2
- Autonómicas
- Antena 3 TV
- Tele 5
- Canal +
- Otras

Fuente: Anuario Estadístico de España (Instituto Nacional de Estadística).

habiéndose producido en los últimos años un desplazamiento de la audiencia desde la Onda Media (OM) a la Frecuencia Modulada (FM). La estructura empresarial de la radio española se asienta sobre un sistema mixto de emisoras públicas y privadas. Las más importantes son: Radio Nacional (que cuenta con cinco cadenas diferentes y Radio Exterior de España, que emite en onda corta a todo el mundo); la cadena SER (Sociedad Española de Radiodifusión), la primera en cuanto al número de oyentes; la COPE (Cadena de Ondas Populares) es la segunda cadena de emisoras privadas; siguen Onda Cero y las emisoras de ámbito autonómico o local.

## Televisión

Casi el 90 % de los españoles mayores de 14 años afirma ver la televisión todos los días. El sistema televisivo español ha variado en los últimos años con la desaparición del monopolio público y la apertura de tres canales privados.
La televisión pública se llama TVE y emite a través de dos cadenas: TVE-1 y La 2. Las tres televisiones privadas son: Antena 3 (el primer canal privado que entró en funcionamiento), Tele 5 y Canal Plus (éste en emisión codificada para abonados).
Además de estas cadenas de televisión, existen otras de carácter autonómico: en Cataluña, TV-3 y Canal 33, que emiten en catalán; en el País Vasco ETB-1 (en vasco) y ETB-2 (en castellano); TVG es el canal autonómico de Galicia; Canal Sur lo es de Andalucía; Telemadrid, de Madrid y Canal 9, de la Comunidad Valenciana.
Todas las televisiones se financian fundamentalmente gracias a la publicidad. Las públicas y autonómicas reciben ayudas económicas de los presupuestos del Estado o de las Comunidades Autónomas.

**Profesionales en busca de la noticia**

# 20 Gastronomía

Resulta casi tópico decir que la cocina española es una de las mejores del mundo. Pero es algo totalmente cierto porque existe una serie de factores que contribuyen a que así sea.

En primer lugar, la materia prima con la que se realizan los platos es de primerísima calidad; en segundo lugar, las «recetas» para mezclar y condimentar los alimentos están avaladas por siglos de experiencia que la sabia tradición popular ha ido transmitiendo de generación en generación —algunas recetas son tan antiguas como los orígenes de España—; y, por último, la sabiduría y el buen hacer de los cocineros españoles han conseguido hacer famosa la cocina española más allá de sus fronteras. Podríamos hablar de «regiones» o de «rutas» en la cocina española: En el Norte destaca la cocina vasca (*merluza del Cantábrico, bacalao a la vizcaína, besugo a la espalda*); la asturiana (*fabada, sidra...*) y la gallega, con sus magníficos mariscos.

En los Pirineos, una gran cantidad de platos se prepara con la típica *salsa de chilindrones.*

La zona de Cataluña ofrece al turista su variedad de salsas, de embutidos y el famoso pan con tomate.

Si se quiere degustar la mundialmente conocida «paella», hay que poner rumbo a la zona del arroz: el Levante español. Y dirigirse al

**Jamón de Jabugo**

Centro de España si se desea probar los exquisitos corderos asados en el horno de leña, los cochinillos... o el típico *cocido madrileño.* Para que el festín sea completo no hay que olvidar «regar» (acompañar) la comida con un buen vino: el excelente Ribera del Duero, el oloroso tinto de la Rioja o el suave blanco de Rueda (el tinto para las

*Gazpacho* **andaluz**

**Sabrosa repostería**

**El gusto por la buena mesa es habitual en todas las regiones de España**

carnes, el blanco para el pescado).

Al Sur, Andalucía invita a degustar su exquisito jamón de Jabugo (Huelva) —no existe en el mundo otro igual—, el *gazpacho* andaluz, las aceitunas verdes, el pescado frito, el «fino» de Jerez, los langostinos rayados de Huelva...

Aunque la ruta gastronómica española sea tan vasta (extensa) como la de la artesanía, sirva de punto final el sabroso queso de Mahón (Baleares) y su afamada e histórica *mahonesa*. Y para los paladares más golosos, una refinada pastelería heredada del pasado árabe y un buen «cava» catalán pondrán el broche de oro a cualquier comida elegida.

**Típico *cocido* madrileño**

**Cocina de un restaurante español**

# 21 La artesanía popular

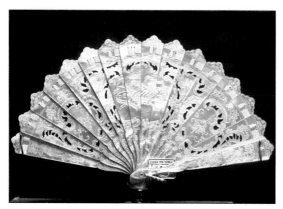

**Abanico típico español**

La artesanía española es el fruto de antiguas tradiciones que se han conservado intactas a lo largo del tiempo. Todas las regiones de España presumen de poseer productos típicos elaborados artesanalmente: desde objetos de cuero, hasta diseños sofisticados en piel; desde finos bordados en hilo, hasta gruesos tejidos de alfombras y tapices; desde antiguas cerámicas de herencia neolítica, hasta las más bellas porcelanas... Todo el recorrido por la extensa y variada artesanía española constituye un gran atractivo para el turista.

## Cuero y piel

La calidad de las pieles y el diseño han consolidado el prestigio de España en el mundo de la moda en cuero y piel. Andalucía, Levante y las islas Baleares son las zonas más ricas en la producción de vestidos, bolsos y calzados de este material.

**Cerámica: diversidad de formas y colores**

**Las mejores pieles al servicio del diseño**

En Galicia, el viajero puede deleitarse con la magnífica cerámica de **Sargadelos.**
En el interior, **Talavera de la Reina** — cerámica «azul»— muestra sus antiquísimas reproducciones, cuyas mejores piezas pueden observarse en museos, palacios y hasta en las antiguas boticas de España. Esta producción se complementa (alterna) con otra más moderna, más industrial. La cerámica de Talavera quizá sea la más «exportada». También en el interior, **Teruel** exhibe su cerámica «verde» y **Granada**, su cerámica «verde-azul», ambas de reminiscencias árabes.

## Tejidos

Encontrar ropa bordada para la casa es fácil en España: finas mantelerías de hilo o encajes para adornar sábanas, toallas, cojines... son típicos de Galicia, Asturias, Canarias (hilo calado), Navarra... Otros bordados más gruesos para la casa podemos encontrarlos en Toledo (mantelerías, mantas de lagartera, alfombras).
En otro orden de cosas, merecen mención la famosa pasamanería de Madrid y los tapices confeccionados en su Real Fábrica; o los bordados y encajes de muchos trajes típicos como, por ejemplo, el de sevillana.

## Céramicas

Es tan extensa y variada su producción que en España podemos hablar de una *ruta de la cerámica.* Hay para todos los gustos: desde el Neolítico hasta nuestros días, todos los pueblos que habitaron la Península han dejado su legado, su arte en la técnica del barro.
En el Levante español, la bella cerámica de **Alcora** reproduce copias de piezas auténticas de siglos pasados. **Manises** y **Valencia** combinan su producción moderna con la antigua. Siguiendo la costa hacia arriba, Cataluña ofrece su famosa cerámica de **La Bisbal**.

## Metales

Una vez en Madrid, merece la pena visitar la histórica ciudad de Toledo. Allí se pueden adquirir sus famosas espadas que recuerdan tiempos pasados o, si se prefiere, una armadura de caballero. También son famosas por su calidad las típicas navajas de Albacete.

**Cerámica de Manises (Valencia)**

# 22 **Fiestas populares**

**Corrida de toros. El traje de luces es una obra de arte**

Debido a la rica historia de España y a sus tradiciones culturales, así como a la diversidad de los pueblos que la han habitado, de sus gentes y sus regiones, las fiestas de España son bellas y originales, tanto, que algunas han adquirido fama universal.

Cualquier visitante se siente motivado a participar en ellas, pues el español, de carácter amable y alegre, le brinda de inmediato su hospitalidad y su acogida. A lo largo de todo el año España vibra de alegría cuando está en fiestas. El color, la música y el ánimo alborozado de sus gentes contagian a propios y extraños. Por eso merece la pena conocer aunque sólo sea alguna de sus múltiples fiestas.

## Carnavales

En Carnavales la vida cotidiana se paraliza. *Charangas, Gigantes y Cabezudos* y gente disfrazada toman la calle en todos los pueblos y ciudades de España. Los más famosos son los de Tenerife y los de Cádiz.

## Semana Santa

La Semana Santa española contagia por su devoción, recogimiento y belleza. Las imágenes de encapuchados, vírgenes dolorosas, cristos crucificados... han dado la vuelta al mundo. Esos días en Castilla reina el silencio; en Andalucía, se cantan saetas.

## Pólvora y fuego

En la festividad de San José —19 de marzo— la región levantina arde en llamas. Valencia quema en hogueras cientos de esculturas elaboradas a lo largo de todo el año. Con el fuego y el humo se van las creaciones de cartón-piedra (las *Fallas*) que miles de artesanos han elaborado con sus manos. Sólo unas cuantas esculturas se

68

salvan de la quema: las obras premiadas que, resignadas, vivirán el resto de sus días en un museo... Ellas hubiesen preferido consumirse entre las llamas.

La «noche del fuego», es decir, la noche de San Juan, el 24 de junio, es una fiesta típica de todo el Mediterráneo español, aunque más especialmente, de Alicante. También en el verano se celebran en Levante las fiestas de Moros y Cristianos. En estos días el viajero puede encontrarse con personajes disfrazados de partidarios del rey cristiano o del caudillo moro. Rememorando las antiguas luchas de moros y cristianos en suelo español, los guerreros de ambos bandos simulan una batalla. Pero nadie será vencido: sólo vence la música, la alegría y el olor a pólvora.

## Primavera en Andalucía

Es imposible ser un mero espectador en la Feria de Sevilla. Andalucía se tiñe de colores en abril. Los jinetes pasean orgullosos a sus bellas damas engalanadas con peinetas, flores y vestidos de volantes. Todo el mundo se contagia de la misma alegría: el vino corre por las casetas; el cante y el baile duran todo el día y toda la noche.

Y en mayo, la Romería del Rocío, en Ayamonte (Huelva). Las carretas, arrastradas por caballos, llenan de polvo el camino que conduce hasta la ermita de la Virgen del Rocío. Las cercanías del Parque de Doñana despiertan de su letargo por unos días.

## Toros

Madrid engalana su plaza de toros en las famosas corridas de San Isidro. No hay torero que se precie de estar consagrado si no ha toreado en la Plaza de las Ventas de Madrid o en la Maestranza de Sevilla. Historiadores, periodistas, pintores... han sellado con su asistencia su simpatía por la llamada Fiesta Nacional: los toros.

**Fiesta de Moros y Cristianos**

Pero para saber lo que es un toro de verdad, hace falta ser torero o haber corrido delante de los toros en las fiestas de los Sanfermines, en Pamplona: de nuevo la alegría, el miedo y el vino se adueñan de las calles de la ciudad por unos días.

## Peregrinaciones

El 25 de julio se celebra la festividad del apóstol Santiago. La ciudad de Santiago de Compostela abre sus puertas para acoger a los peregrinos de hoy; como hizo antaño con los peregrinos medievales.

**Carnaval de Tenerife**

# 23 Deportes y ocio

**Inauguración de los Juegos Olímpicos. Barcelona, 1992**

## Fútbol y baloncesto

España es un país que vibra por los espectáculos deportivos, entre los cuales, sin duda, el fútbol ocupa el lugar privilegiado. Cada domingo los estadios se llenan de espectadores que van a animar a su equipo. Real Madrid, Barcelona, Valencia, Zaragoza, Atlético de Madrid..., son equipos que han ganado numerosas competiciones europeas.

El segundo deporte en cuanto a espectadores es el baloncesto. Real Madrid, Barcelona y Juventud de Badalona son los equipos más galardonados.

## Esquí

España cuenta con seis zonas diferentes dotadas de los medios técnicos más modernos para la práctica de los deportes de invierno. Algunos lugares conocidos internacionalmente son: La Molina (Gerona) y Baqueira Beret (Lérida), en el Pirineo Catalán; Panticosa y Candanchú, en el Pirineo Aragonés; Picos de Europa, en la Cordillera Cantábrica; La Pinilla (Segovia) y Navacerrada (Madrid), en el Sistema Central; Solynieve (Granada), en Sierra Nevada, etcétera.

Existe una Federación Española de Deportes de Invierno, que ofrece una serie de servicios (información, seguros, viajes, precios especiales...), tanto para expertos como para aficionados.

## Golf

Madrid, la costa mediterránea y las islas contabilizan más de cien campos de golf, deporte que ha obtenido en los últimos años una gran difusión en España, así como un lugar destacado en el ranking mundial, gracias a la fama de Severiano Ballesteros, de José María Olazábal y del jovencísimo Sergio García. Torneos nacionales e internacionales se juegan en Neguri (Vizcaya), en Pedreña (Santander), en el Prat (Barcelona)...

Regatas en el Mediterráneo español

## Náutica

Es fácil imaginar la afición, la capacidad y el desarrollo náutico de un país que está rodeado de agua por todas partes menos por una (los Pirineos) y que, además, cuenta con un clima adecuado para practicar este tipo de deportes, con modernos puertos y con una costa y unas islas que constituyen un gran reclamo vacacional.

De antaño viene la afición española a recorrer los mares y a recibir embarcaciones en sus puertos. Hoy es fácil recalar en los múltiples puertos deportivos, participar en competiciones o alquilar un barco con o sin tripulación para realizar un inolvidable crucero.

El deporte de vela tiene como primeros protagonistas a la propia Familia Real. Uno de los mejores sitios para practicar regatas es la bahía de Cádiz y el windsurf puede practicarse casi en todo el litoral español.

## Tenis

El tenis, un deporte muy popular en España, ha incrementado sus adeptos gracias al empuje de Arantxa Sánchez Vicario, Conchita Martínez, Sergio Bruguera, Carlos Moyà, Alex Corretja y Juan Carlos Ferrero, que han elevado el tenis español a la fama mundial. Se ha popularizado tanto este deporte en España que, además de los clubs especializados y de los complejos polideportivos municipales, existen miles de pistas de tenis en las urbanizaciones de moderna construcción.

## Equitación

La Infanta Elena y algunos miembros de la nobleza española son los primeros estandartes de la afición por la hípica.

La mayor parte de los clubs son federados y por un precio razonable se puede montar a caballo, asistir a las competiciones, tener seguro médico y de responsabilidad civil y otros servicios.

Sergio García y Arantxa Sánchez Vicario

# 24 Vanguardia cultural y artística (1)

**Almudena Grandes**

## LENGUA Y LITERATURA

La literatura española del siglo XX ha conocido grandes épocas de esplendor. Baste recordar a los poetas de la llamada *Generación del 27* (F. García Lorca, V. Aleixandre, R. Alberti...) o a los poetas y prosistas de la posguerra. Tras su aureola llegaron otros autores que con su obra han revitalizado la literatura española contemporánea.

Al lado de escritores ya consagrados, de la talla de Camilo José Cela, Miguel Delibes, Gonzalo Torrente Ballester, Buero Vallejo, Manuel Vázquez Montalbán, Juan Marsé o Carmen Martín Gaite, en los últimos años ha ido surgiendo en España una nueva generación de jóvenes narradores.

He aquí algunos de los nombres más significativos: Eduardo Mendoza, Antonio Muñoz Molina, Félix de Azúa, Julio Llamazares, Jesús Ferrero, Terenci Moix, José María Guelbenzu, Arturo Pérez-Reverte, Javier Marías... Junto a estos nombres ha surgido, asimismo, una importante lista de mujeres novelistas como Montserrat Roig, Esther Tusquets, Soledad Puértolas, Lourdes Ortiz, Almudena Grandes...

El mundo del teatro ha conocido un nuevo resurgimiento, sobre todo a finales de los años setenta. Grupos teatrales como *Els Joglars, Els Comediants* y autores como Antonio Gala o Fernando Arrabal, son los protagonistas de nuevas técnicas y lenguajes teatrales.

## Las lenguas autóctonas
● **Literatura catalana**

Entre los narradores más destacados cabe mencionar a Josep Pla, Salvador Espríu, Mercé Rodoreda, Baltasar Porcel, Joan Perucho, Joan Brossa. Y entre los poetas, Pere Gimferrer, Joan Brossa y Jaume Vidal figuran entre los más renovadores.

**Eduardo Mendoza**

**Antonio Muñoz Molina**

## ● Literatura gallega

Alvaro Cunqueiro y Blanco Amor son los prosistas gallegos más conocidos fuera de sus fronteras.

Entre los poetas que cantan a la tierra de Galicia, que se interesan por temas sociales o por la recuperación del trovadorismo destacan, entre otros, Luis Seoane, Iglesias Alvariño y Celso Emilio Ferreiro.

## ● Literatura vasca

En el último cuarto de siglo, la literatura vasca ha experimentado un cambio fundamental: se ha universalizado, ha abandonado su carácter personalista y rural para adentrarse en corrientes más internacionales. En narrativa destacan nombres como Txillardegui o Atxaga. Y en poesía, Gabriel Aresti, Arana y Ormaechea.

## ● Premios literarios

España es el país de los premios y concursos literarios. Entre ellos destacan: el *Nadal* (el más antiguo), el *Planeta* (el de mayor dotación económica), el *Príncipe de Asturias* (reciente y ya con prestigio) y el *Cervantes* (premio a la obra de toda una vida).

Estos galardones literarios, entre los que también cuenta el *Nobel*, recaen tanto en autores españoles como hispanoamericanos.

**Juan Marsé**

**Miguel Delibes**

# 25 Vanguardia cultural y artística (2)

**Plácido Domingo**

## BELLAS ARTES

Tàpies y Antonio López (pintura); Plácido Domingo, Josep Carreras y Monserrat Caballé (música); Chillida (escultura); Rafael Moneo, Ricardo Bofill y M. Alcántara (arquitectura). Todos estos nombres forman parte de una larga lista de personajes españoles actuales relacionados con las Bellas Artes.

a *Volver a empezar*, de José Luis Garci, en 1994 a *Belle époque*, de Fernando Trueba, en 2000 a *Todo sobre mi madre*, de Pedro Almodóvar.

### ● Música

La tradición musical en España es perfectamente reconocida. De hecho, a lo largo del año se celebran grandes festivales (Barcelona, Granada...), algunos de resonancia internacional.

Importantes compositores, como Ernesto y

**Monserrat Caballé**

### ● Cine

A pesar de la enorme competencia y de la invasión de películas extranjeras, el cine español ha conseguido el reconocimiento del público y de la crítica, no solamente en España, sino internacionalmente. Prueba de ello son los premios conseguidos por películas españolas, como el Oscar a la mejor película extranjera otorgado en 1982

**Tàpies**

**Museo Guggenheim. Bilbao**

Cristóbal Halffter, Luis de Pablo, Tomás Marco o Ramón Encinas, entre otros, e intérpretes españoles han logrado la celebridad en la historia de la música más reciente. Baste mencionar a las sopranos Monserrat Caballé, Teresa Berganza, Ainhoa Arteta... y a los tenores Afredo Kraus, Plácido Domingo y Josep Carreras.

### ● Pintura

La multiplicidad de corrientes artísticas en España se define por su riqueza y heterogeneidad. Así, haciendo un pequeño recorrido, podríamos pasar de la abstracción de Tàpies al estilo fotográfico de Genovés o al figurativismo de Arroyo y Gordillo; del hiperrealismo de Antonio López, al realismo expresionista de Úrculo; del neofigurativismo de Antonio Saura, Isabel Guerra, Toral, Josep Sala... al replanteamiento continuo de Miquel Barceló.

Entre los museos de Arte Moderno más importantes de España destacan: el Reina Sofía (Madrid), el Miró (Palma de Mallorca), el Dalí (Figueras) y el Guggenheim (Bilbao).

### ● Escultura

Merece la pena mencionar en este apartado la obra escultórica de Oteiza y Chillida, presidida por la abstracción; el neofigurativismo escultórico de Subirach, Lapayese del Río... o las composiciones escultóricas urbanas de Alfaro, entre otras.

### ● Arquitectura

Las nuevas corrientes arquitectónicas españolas se rigen por el estilo propio de sus autores, más que por escuelas: unos arquitectos se decantan por la estética, otros por la funcionalidad, otros por el eclecticismo... pero, sin duda, su técnica y su arte les han concedido un primer puesto en la arquitectura mundial. Merecen mención el estilo estético y funcional de Rafael Moneo, premio Pritzker 1996 (Museo Romano de Mérida, remodelación del Palacio de Villahermosa, que aloja la colección Thyseen...); el eclecticismo de Ricardo Bofill; el carácter docente de Oriol Bohigas o el vanguardismo de M. Alcántara, considerado el arquitecto de moda. Todos han obtenido fama internacional y sus nombres se escriben entre los mejores del mundo.

**Miquel Barceló**

75

# CRONOLOGÍA

## ETAPA PREHISTÓRICA

| FECHAS (aprox.) | PERÍODOS PREHISTÓRICOS | CARACTERÍSTICAS |
|---|---|---|
| 40.000 10.000 | PALEOLÍTICO SUPERIOR | Hombre de Cromagnon. Creación de las primeras pinturas rupestres. En la Península, el modelo es la cueva de Altamira. |
| 5.000 2.500 | NEOLÍTICO | Formas humanas similares a las actuales. Aparición de los primeros trabajos de cerámica. |

## ETAPA ROMANA

| A.C. | POLÍTICA - ECONOMÍA - SOCIEDAD - CULTURA |
|---|---|
| 210 | Publio Cornelio Escipión llega a Hispania. |
| 195 | Comienza la fundación de centros urbanos en la Península. |
| 154 | Sitio de Numancia. |
| 152 | Fundación de la ciudad de Córdoba. |
| 90 | Estabilización y ampliación de las formas de vida urbana en la Península. La lengua y las creencias religiosas del invasor conviven y se amalgaman a las indígenas. |
| D.C. | |
| 11 | Gobierno de Augusto. Erección de grandes obras públicas, como el acueducto de Segovia, rutas y urbanización de las principales ciudades. |
| 92 | Introducción del Cristianismo en la Península. Consolidación de las propiedades agrarias e impulso general de la agricultura. Gran esplendor de las letras latinas. |

## LA ESPAÑA VISIGODA

| | |
|---|---|
| 456 | El predominio visigodo se implanta en la Península. |
| 568 | Inicio del reinado de Leovigildo. Afirmación de la estructura estatal visigoda en Hispania. Construcción de edificios religiosos en todo el reino. |
| 710 | Reinado de Rodrigo, último rey visigodo. Tariq desembarca en España. |

# EDAD MEDIA. REINOS CRISTIANOS - LA ESPAÑA ISLÁMICA

| | |
|---|---|
| 711 | Expedición de Tariq ibn Ziyad. Derrota visigoda en el río Barbate. Caída de Córdoba y Toledo. |
| 718 | Pelayo se rebela en Asturias. Batalla de Covadonga. |
| 756 | Comienzo del emirato Omeya. |
| 822 | Abderramán II sucede a Alhaquen I. <br> Auge cultural de la ciudad de Córdoba. |
| 839 | Córdoba y Bizancio intercambian representantes diplomáticos. |
| 882 | Fundación de la ciudad de Burgos. |
| 943 | Fernán González, conde de Castilla. |
| 1085 | Conquista de Toledo por Alfonso VI (cristianos). |
| 1086 | Los almorávides penetran en la Península. Derrota cristiana en Sagrajas. <br> Intensiva aplicación de nuevas técnicas agrícolas. |
| 1094 | Toma de Valencia por el Cid. Los almorávides la reconquistarán en 1102. |
| 1097 | Gobierno en Cataluña de Ramón Berenguer III. <br> Fecha aproximada del «Poema de Mio Cid». |
| 1188 | Primeras Cortes de León. <br> Pórtico de la Gloria, en la catedral de Santiago. |
| 1218 | Fundación de la universidad de Salamanca. <br> Inicios de la construcción de las catedrales de Burgos y Toledo. |
| 1236 | Córdoba, antigua capital califal, es ocupada por los cristianos. <br> Comienza la construcción de la Alhambra de Granada. |
| 1238 | Conquista de Valencia por los cristianos. |
| 1248 | Sevilla es conquistada por Fernando III. |
| 1273 | Obra del Infante don Juan Manuel. |
| 1492 | Fuerte emigración de musulmanes hacia el norte de África como consecuencia de la caída de Granada. |

## REYES CATÓLICOS Y AUSTRIAS

| | |
|---|---|
| 1492 | Conquista de Granada. Primer viaje de Colón y descubrimiento de América. Expulsión de los judíos. <br> «Gramática Castellana», de Antonio Nebrija. |
| 1499 | Rebelión musulmana en Andalucía. <br> Universidad de Alcalá. «La Celestina», de Fernando de Rojas. |
| 1504 | Muerte de Isabel la Católica. |
| 1519 | Carlos I, Emperador. Hernán Cortés inicia la conquista de México, y Magallanes y Elcano la circunnavegación del globo. |

| | |
|---|---|
| 1553 | El príncipe Felipe, rey consorte de Inglaterra.<br>Vigorización del Tribunal de la Inquisición.<br>Publicación de «El lazarillo de Tormes». |
| 1556 | Abdicación de Carlos I. Felipe II, rey.<br>Auge de la novela picaresca española. |
| 1563 | Inicio de la construcción del monasterio de El Escorial. |
| 1571 | Batalla de Lepanto.<br>Obra de Teresa de Jesús. |
| 1598 | Muerte de Felipe II.<br>Obra de Lope de Vega. |
| 1605 | Publicación de la primera parte de «El Quijote», de Cervantes. |
| 1640 | Obra de Calderón de la Barca y de Velázquez. |
| 1648 | Obra de Murillo, Zurbarán y Claudio Coello. |
| 1700 | Muerte de Carlos II, tras haber nombrado heredero a Felipe de Anjou.<br>Fin de la dinastía Austríaca en España. |

## LOS BORBONES EN ESPAÑA

| | |
|---|---|
| 1701 | Felipe V en Madrid. Obra de Pedro de Ribera. |
| 1704 | Inglaterra ocupa la plaza de Gibraltar. |
| 1714 | Fundación de la Real Academia de la Lengua. |
| 1744 | Se crea la Academia de Bellas Artes de San Fernando. |
| 1759 | Muerte de Fernando VI. Carlos III, rey de España. |
| 1781 | Proyecto de enseñanza obligatoria. |
| 1792 | Comienza el gobierno de Godoy. Obra de Goya. |
| 1808 | Motín de Aranjuez. Abdicación de Carlos IV y ocupación por las fuerzas francesas. Sublevación de Madrid y represión francesa. Junta de Bayona: José I, rey de España.<br>Abolición del Tribunal de la Inquisición. |
| 1834 | Creación de la Real Academia de Ciencias Exactas, Físicas y Naturales. |
| 1835 | Gobierno de Mendizábal. Disolución de órdenes religiosas, salvo las hospitalarias. |
| 1840 | Creación en Barcelona de la primera organización obrera. |
| 1848 | Primera línea ferroviaria en España: Barcelona-Mataró. |
| 1873 | Primera República Española. Presidentes: Figueras, Pi y Margall, Salmerón y Castelar.<br>Obra de Benito Pérez Galdós. |
| 1879 | Matrimonio de Alfonso XII con María Cristina de Habsburgo.<br>Creación del Partido Socialista Obrero Español. |
| 1882 | Obra de Antonio Gaudí. |

| | |
|---|---|
| 1883 | El Ateneo madrileño, destacado centro cultural. |
| 1885 | Obra de Leopoldo Alas, «Clarín». |
| 1886 | Nacimiento de Alfonso XIII. |
| 1898 | Guerra hispano-norteamericana. Derrotas de Cavite y Santiago de Cuba. Tratado de París: pérdida de las últimas colonias. |
| 1901 | Obra de Pío Baroja. |
| 1906 | Boda de Alfonso XIII. Santiago Ramón y Cajal recibe el premio *Nobel* de medicina. Obra de Antonio Machado. |
| 1922 | Jacinto Benavente recibe el premio *Nobel* de literatura. |
| 1923 | Gobierno García Prieto. Golpe de Estado del general Primo de Rivera. Directorio Militar. Creación de la «Revista de Occidente». |
| 1927 | Obra de Gerardo Diego. |

## SEGUNDA REPÚBLICA

| | |
|---|---|
| 1931 | Manifiesto del grupo «Al servicio de la República». Gobierno Aznar. Elecciones municipales y proclamación de la Segunda República. Exilio de Alfonso XIII y Gobierno Provisional. Elecciones Cortes Constituyentes; triunfo republicano-socialista. Gobierno Azaña. Constitución de la República. Obra de Luis Cernuda y Federico García Lorca. Proyecto de reforma y ampliación de la escolaridad. |
| 1933 | Creación de la Universidad Menéndez Pelayo en Santander. Obra de Miguel Hernández, Gregorio Marañón y Ramiro de Maeztu. |
| 1936 | Guerra Civil |

## ESPAÑA FRANQUISTA

| | |
|---|---|
| 1939 | Legislación que confirma los poderes especiales centrados en la persona del general Franco. Fin de la Guerra Civil. Primer gobierno de la «Victoria». Fuerte represión institucionalizada. |
| 1940 | «España peregrina», editada en México por los intelectuales exiliados. |
| 1943 | Inauguración de las nuevas Cortes. Reorganización de las universidades. Obra de R. J. Sender. |
| 1945 | Reunión en México de las Cortes de la República. Don Juan de Borbón publica el «Manifiesto de Lausanne». Primera edición del premio *Nadal*, que obtiene Carmen Laforet. |
| 1952 | España, miembro de la UNESCO. Obra de Buero Vallejo |
| 1953 | Acuerdos militares con los Estados Unidos de América. Instalación de bases norteamericanas en suelo español. |

| | |
|---|---|
| 1956 | Juan Ramón Jiménez recibe el premio *Nobel* de literatura. |
| 1959 | Formación de ETA. <br> Severo Ochoa recibe el premio *Nobel* de medicina. |
| 1962 | Obra de Celso Emilio Ferreiro y José Luis López Aranguren. Obra de Tierno Galván. |
| 1968 | El Cardenal V. Enrique y Tarancón es nombrado arzobispo de Madrid. <br> Obra de Juan Benet. <br> Universidades Autónomas de Madrid, Barcelona y Bilbao. <br> La Universidad, implicada directamente en la reivindicación democratizadora. |
| 1969 | Juan Carlos de Borbón, designado sucesor del Jefe del Estado a título de Rey. |
| 1970 | Actividad de Manuel Tuñón de Lara en la didáctica de la historia contemporánea de España. |
| 1973 | Asesinato de Carrero Blanco en Madrid. |
| 1975 | Enfermedad del General Franco, que muere el 20 de noviembre. Juan Carlos I, proclamado Rey. |

## LA ESPAÑA DEMOCRÁTICA

| | |
|---|---|
| 1976 | Dimisión de Arias Navarro y Gobierno Suárez. |
| 1977 | Elecciones Generales: triunfo de la Unión de Centro Democrático. <br> Vicente Aleixandre recibe el premio *Nobel* de literatura. <br> El cine español obtiene premios en el Festival de Berlín. |
| 1979 | Elecciones municipales. Gran avance de la izquierda. <br> Fallecimiento del poeta Blas de Otero. |
| 1980 | Magnas exposiciones de Tàpies y Chillida en Madrid, y de Picasso en Nueva York. |
| 1981 | Golpe militar frustrado (23-F). <br> Llega a España el *Guernica,* de Picasso. <br> José Hierro, María Zambrano y José Ferrater, premios *Príncipe de Asturias.* <br> Buero Vallejo recibe el premio *Nacional de Teatro*. |
| 1982 | Felipe González, presidente del Gobierno. <br> El Rey recibe el premio *Carlomagno 1982.* |
| 1983 | Rafael Alberti recibe el premio *Cervantes*. <br> Juan Rulfo y Julio Caro Baroja, premios *Príncipe de Asturias.* |
| 1984 | La UNESCO declara monumentos de interés mundial la Alhambra y el Generalife de Granada, la Mezquita de Córdoba, el monasterio de El Escorial, la catedral de Burgos y el parque Güell de Barcelona. |
| 1986 | 50 aniversario de la muerte de García Lorca y de Blas Infante. <br> Gabriel Celaya, premio *Nacional de las Letras Españolas.* |
| 1988 | Madrid, declarada capital cultural de Europa para el año 1992. <br> Carmen Martín Gaite y J. A. Valente, premios *Príncipe de Asturias.* |
| 1989 | Camilo José Cela, premio *Nobel* de literatura. |
| 1992 | Juegos Olímpicos de Barcelona. Exposición universal de Sevilla. |
| 1993 | Elecciones Generales. Nueva victoria del PSOE. Felipe González reelegido presidente por cuarta vez. |
| 2000 | Elecciones generales. El Partido Popular (PP), de José M.ª Aznar, renueva su victoria, esta vez por mayoría absoluta. |